퇴사는 처음이라

KEIDY(케이디)

https://brunch.co.kr/@kdm0326

어느덧 15년차 콘텐츠 업계 홍보마케팅 팀장이자 워킹맘, 상담심리 대학원생. 일도, 육아도, 공부도 다 잘 하고 싶은 욕심쟁이. 바쁨 속에서 잠깐의 여유를 내어 글을 씁니다.

발 행 | 2024-01-10

저 자 | KEIDY

펴낸이 | 한건희

펴낸곳 | 주식회사 부크크

출판사등록 | 2014.07.15(제2014-16호)

주 소 | 서울 금천구 가산디지털1로 119, A동 305호

전 화 | 1670 - 8316

이메일 | info@bookk.co.kr

ISBN | 979-11-410-6585-0

본 책은 브런치 POD 출판물입니다.

https://brunch.co.kr

www.bookk.co.kr

퇴사는
처음이라

KEIDY(케이디) 지음

CONTENT

이직을 결심한 이유

1년 뒤, 2년 뒤의 모습이

지금과 똑같을 것이라고 느껴질 때

"저, 퇴사하려 합니다."

단단히 마음먹고 들어갔지만 역부족이었다. 험악해진 분위기와 무겁게 가라앉은 공기는 쉽게 바뀌지 않았다. 그 한 마디를 겨우 얘기하고 나서 근 30분간 이루어진 면담은 주로 듣기에 가까웠다. 중간중간 왜 퇴사하려 하는지, 어디로 이직하는지, 이직하게 된 이유는 무엇인지에 대해 드문드문 이야기 한 기억은 나는데 30분간 멘탈이 탈탈 털리고 나서 드는 생각은, '나, 이직 결심하길 잘했구나.'라는 결론이었다.

물론, 이직을 결심한 사람이 웬만해서는 마음을 바꾸지 않기 때문에 이미 맘 떠난 사람에게 좋은 얘기를 할 필요는 없다고 생각했을지도 모른다. 면담하기 전까지만 해도 나도 회사에 굉장한 미안함과 남은 사람들에 대한 걱정을 한가득하고 있었는데 오히려 면담 이후에는 아무런 미련 없이 회사를 떠날 수 있겠다는, 어떤 확고함 같은 것만이 남았다.

첫 입사한 직장에서 10년 넘게 근무했고, 팀은 몇 번 옮기긴 했으나 전체 업무 경력을 요약하면 한두 개 직무로 묶을 수 있을 정도라 나름 이직할 수 있는 조건을 갖추어 뒀다. 그리고 작년 말 팀장 보직을 받게 되면서 비록 팀원은 적지만 본격적인 리더 역할을 처음으로 경험해 보기도 했다. 한 업계에 오래 있었다는 것은 그 업계에서는 알아주는 우대 조건을 갖게 되지만, 희소한 산업군의 경우에는 다른 업계로는 확장하기 어려운 한계를 느끼기도 한다. 그렇기에 많은 채용 공고에는 특정 산업군의 근무자를 우대한다는 조건이 대부분 붙게 되는데, 나의 경우에도 콘텐츠 업계에서 10년 넘게 일했기에 콘텐츠 업계 내로 옮길 경우에는 나름의 가산점이 있었다. 최근, 콘텐츠 업계는 OTT 플랫폼의 성장세가 두드러지고 한국 콘텐츠의 제작 퀄리티에 대한 신뢰도가 높아지면서 산업이 굉장히 빠르게 확대되고 있는데 이러한 확장세에 맞춰 새로운 신생 회사나 기존 회사의 신규 서비스 출시 등으로 채용 공고들이 상당히 많이 올라오고 있었으며 다행히도 그 기회를 잡게 되었다.

회사에 10년 넘게 다니다 보면, 그리고 팀장 보직을 받게 되면 아무래도 마인드 자체가 사측으로 변하게 된다. 회사를 위해 다소의 희생은 불가피하고, 때로는 나보다 회사의 이익을 먼저 생각하게 되며 일에 대한 책임의식도 더욱 생기게 마련이다. 나도 마찬가지였다. 사실, 몇 가지 계기가 없었더라면 이직은 전혀 고려하지 않고 계속 한 회사에 다니는 계획을 세웠을지도 모른다. 내가 이직을 결심하게 된 계기는, 어떻게 보면 사소하지만 그 사소한 일들이 누적되어서 생긴 결과였다.

구체적인 에피소드를 밝힐 수는 없지만, 그 사소한 계기의 첫 번째는

'이 조직에서는 내가 오랫동안 해 온 이 업무에 대해 전문성을 인정해 주지 않는구나' 라고 느낄 때였고 그 다음으로는 '내가 회사를 생각하는 것만큼 회사는 나를 생각하지 않는구나' 라고 느꼈을 때 이직에 대한 확신이 들었던 것 같다.

그래도 10년 넘게 다닌 회사에는 고운 정, 미운 정이 있어서 아직도 전 회사를 생각하면 앞으로 더 잘 되길 바라는 마음도 있고 먼저 떠난 것에 대해 가끔 아쉬운 마음도 든다. 하지만 내가 그 조직에 있는 모습을 상상해 보니 1년 뒤에도, 2년 뒤에도 크게 변화가 없을 것 같았기에 나를 필요로 하는 조직에 가서 초기에 조금 고생하더라도 새로운 일을 해 보고 싶다는 생각이 있었다. 물론 새로운 조직에서의 적응에 대한 걱정도 있었고 내가 그리는 장밋빛 미래만큼 업무의 자율성이 얼마나 주어질지는 알 수 없었지만, 안 가고 후회하는 것보다는 가서 부딪쳐 보고 그때 내 커리어의 방향성을 다시 설정해 보면 되지 않을까 하는 생각이 들면서 좀 더 용기를 내 보기로 했다.

이직을 결심하고, 퇴사를 공표하고, 인수인계서를 작성하고, 그간의 업무 히스토리를 정리해 보면서 이직을 실감했다. 첫 회사에서의 경험이 앞으로의 내 커리어를 확장해 나가는 데 있어 큰 도움이 될 것이라 믿는다

#1. 어떻게 일할 것인가?

사회생활 10년이 넘어가며 쌓이는 자기 계발의 고민들

“

역량과 목표의 괴리, 그 균형점을 찾아서

본인이 할 수 있는 업무 역량과 목표의 괴리가 클수록 괴로워진다. 나는 '더욱 좋은 곳'에서, '더욱 의미 있는 업무'를 하고 싶은 의욕이 있는데 현실의 나는 그렇게 할 필요충분 요건을 갖췄는가? 내 역량은 한없이 부족하고, 그렇게 열정적으로 내 시간을 쪼개어 업무에 투여할 마음가짐과 현실적인 여유가 있냐고 스스로 물었을 때 확답하기가 너무 어렵다.

더 나은 사람이 되고 싶고, 더 높은 목표를 달성하고 싶은 것이 기본적인 직장인의 마음가짐이다. 하지만 모든 사람이 일괄적인 목표를 가질 필요는 없다. 내가 과연 성취하고 싶은 목표가 무엇이며, 나에게 맞는 목표한 어떤 것일까? 그것을 찾는 것이 더 어렵다.

“

짬에서 나오는 바이브? 쌓이는 시간은 큰 힘을 발휘한다.

그래도 길고 긴 실무 경험은 헛되지 않다고 느끼는 것이, 우선은 어떤 일이 닥쳐도 그 유사한 사례를 금방 기억해 내고 자동적으로 처리 가능하다는 것이다. 하지만 그런 자동화된 사고방식이 때로는 업무 개선을 막고 새로운 아이디어를 저해할 수는 있으니 지속적인 점검이 필요하다.

'경험의 양보다 질'이라고 했다. 어떤 프로젝트를 처음부터 기획하고, 실현하고, 만약에 직접 그 사업을 접기까지 했다면 그 경험은 정말 질 높고 쉽게 경험하기 어려운 희소성이 있다.

"

회사생활을 오래 하려면 이것 하나는 기억하자.

외부 인맥 관리만큼 중요한 것이 내부 관계 관리이다. 밖에서도 업무 능력을 인정받는 것도 중요하지만 조직 내에서 관계성을 인정받는 것 또한 매우 중요한 업무의 한 축이다.

연차가 어느 정도 쌓인 후에도 계속해서 신입 시절의 재미를 바라는 것은 안 된다. 지금의 업무에서 폭을 넓힐 것인지 깊이를 깊게 가져갈 것인지 판단해야 할 때가 온다.

회사를 단지 오래 다니는 직원이 로열티가 높은 것이 아니라, 재직하는 기간 동안 최고의 성과, 최상의 생산성으로 회사 이익에 기여하는 사람이 진정으로 로열티가 높은 것 아닐까?

도장 잉크부터 걱정한 나…
진정한 라떼?

지류 결재에서 전자 결재로… 새로운 업무환경에 적응하기 사회생활을 처음으로 시작한 회사에서 10여 년 이상을 근무하고, 첫 이직을 결정했다. 중간중간 사무실 이전을 하거나 자리를 옮길 때 많이 정리했다고는 하지만 그래도 사물함에는 잔뜩 쌓인 각종 서류들, 사무 용품들, 추억의 물건들이 많았다. 서류는 파기하고, 추억의 물건들과 개인적으로 구매했던 사무 용품들 중 몇개는 이직해서도 쓸 일이 있겠다 싶어 챙겨 두었다. 그리고 그렇게 챙겨 둔 물건 중, 도장이 있었다.

첫 입사한 지 얼마 안 되어 회사에서 쓸 도장을 만들었다. 금융거래 등에 사용하는 인감이나 개인 막도장이 아닌, 회사에서 쓰는 도장은 자주 쓰였기에 잉크를 채워 넣으면 인주를 따로 찍고 닦을 필요 없이 깔끔하게 사용할 수 있는 것으로 만들었다. 사용을 자주 해서 그런지, 중간에 잉크가 한 번 떨어진 적이 있었는데 그때 옆에서 일하던 동료분이 자기가 쓰던 잉크를 빌려주어 한 번 더 채워서 사용할 수 있었다. 생각해 보니 10년이 넘는 시간 동안 단 두 번 밖에 잉크를 채우지 않았다는 점이 매우 놀랍긴 하다. 하여튼, 퇴사 직전까지 사용하던 물건이었는데 마지막에는 잉크가 거의 나오지 않아 호호 불어가며 사용했고 사직서에도 마지막을 장식했다. 그리고 이직 전 잠시 쉬는 동안, 그동안 바빠서 사지 못했던 도장 잉크를 사 두어야겠다고 생각했다. 이제는 회사 근처에 문구점이나 사무용품점이 거의 사라져서 인터넷으로 따로 주문해야 하나, 검색 키워드는 무엇으로 해야 하는지 잠시 고민하다가 우선 출근한 다음 그 근처에서 찾아봐야겠다고 생각했다.

그런데, 새로 입사한 회사에서 놀랐던 사실은 여기서는 지류로 도장 결재할 일이 전. 혀. 없다는 점이었다. 물론 전 회사도 많은 서류를 전자결재로 바꾸었지만 아직도 몇몇 서류들은 담당자의 도장(또는 서명)이 필요한 경우가 많다. (사직서 포함...) 그러나 이 회사에서는 입사 첫 날부터 소중히 챙겨 온 도장을 앞으로 쓸 일이 없겠다는 것을 바로 알 수 있었다. 비단 이 회사만이 아니라 많은 회사들이 이렇게 바뀌었을 텐데, 한 회사에서만 오래 있다 보니 변화를 감지하지 못한 탓이다.

이제는 사용할 일이 없는 도장을 다시 열어보며, 10여 년의 전 회사 생활에 대한 종지부를 찍는다. 기존의 업무방식에 대한 추억과 기본기는 남겨두되, 새로운 업무방식에 가져올 효율성에 대해 집중해야겠다. 또 10년 후에는, 어쩌면 5년 후, 2년 후로 변화의 시기는 당겨질 것이지만 항상 기민하게 현재의 흐름을 읽어야 오늘도, 내일도 살아남을 수 있을 것이다. 도장의 잉크를 걱정했던 예전의 나에게 안녕을 고하고, 새로운 회사에서 새로운 업무방식을 배우며 또 새해를 맞이하려 한다.

#2. 업의 '전문가'란 무엇인가?

내 일을 잘 포장하는 것도 중요하다.

“

무엇이 전문가를 만드는가?

내가 10년 이상 했다는 이 일은 과연 무엇일까?

어느 날은 그래도 업계에서의 오랜 경험이 굉장히 도움이 된다고 느껴지고, 마치 내 것인 마냥 자부심이 느껴지는데 바로 다음 날은 진땀 나게 나의 부족한 부분을 마주하곤 한다. 게다가 업계 경력이 많은 사람 앞에서는 왠지 모르게 긴장하고 작아질 때가 있다. 막내로 시작했을 때 만났던 사람들이, 서로 직급이 높아진 후 만나니까 뭔가 세월의 흐름이 느껴지는데, 그때는 내가 얼마나 어설프게 보였을지 생각하니 부끄럽다. 다시 만나니 반갑기도 하지만 더 프로다워 보여야 겠다는 생각도 많이 든다.

시간이 점점 더 빨리 가는 것처럼 느껴지는데 어느 순간 멈추고 뒤를 돌아보면 어느새 여기까지 왔구나, 많은 것을 해냈고 배웠고 익숙해졌다는 생각이 든다. 왕도는 없다. 꾸준히 하는 사람이 승자다. 그래도 자신의 일에 자부심과 소명의식, 책임감을 갖고 일하는 사람은 그렇지 않은 사람과 비교해서 나중에 도달하는 지점이 천지차이가 난다.

“

때로는 ‘액션’도 필요하다.

일을 하고 그 일을 잘 포장해서 내세우는 것을 소위 ‘액션 한다’라고 표현하는데, 부정적 느낌이 강한 말이다. 그러나 본인이 일을 열심히 잘 해서 그것을 적극적으로 알리는 것이 왜 나쁜 일인가? 물론 액션만 잘 하는 사람은 정말 꼴불견인데, 정당하게 내 일을 외부에 알리고 자랑하는 것은 꼭 필요하다고 생각한다.

물론, 인정받기 위해서는 수면 위 말고도 밑에서 열심히 발을 놀려야 한다. 매일매일 꾸준히 하는 것이 굉장히 힘든 일인데 그것을 해내야지 뭐든지 할 수 있는 것 같다.

연차가 쌓이고 위로 올라갈수록 잘 하는 부분에 집중해야 하는데 아무래도 반대편, 못 하는 부분이 신경 쓰여서 초조해진다. 시간은 한정되어 있고, 잘 하고 싶은 것이 너무 많은데 시간이 부족하면 너무 압도되는 느낌이 들고 제일 덜 중요하지만 자극적인 일을 우선적으로 하게 된다. 압박 속에서도 우선순위를 정하는 능력, 그리고 순간 집중력이 필요하다. ‘액션’에도 선택과 집중이 필요하다.

大이직의 시대,
이상(理想)과 이상(異常) 사이

프로이직러, 프로퇴사러가 흔해진 요즘 시대

大이직의 시대. '프로 이직러', '프로 퇴사러'라는 말이 흔해진 요즘. 한 직장에서 오랫동안 근무하는 것을 미덕으로 여겼던 예전 시대와는 달리, 요새는 한 번도 이직하지 않은 사람이 오히려 드문 케이스가 되었다. 또한, 대기업, 공기업, 공무원 등 안정적인 직장을 선호하던 기조에서 커리어 성장 등을 위해 회사의 규모보다 더 가치 있게 여기는 것들을 충족시켜 줄 수 있는 회사들로 이직을 결심하게 되며 심지어 원하는 회사가 없다면 창업까지 불사하게 되는 경우도 종종 본다.

이직에는 다양한 사유가 있겠으나, 예전에는 이직하는 이유가 조직 내 여러 '이상(異常)함' 때문인 경우가 많았다. 특히 조직 내에서의 인간관계의 '이상함', 상사와의 갈등이나 다른 팀과의 알력 다툼 등 인간관계에서의 부딪침 때문에 이직하는 경우가 많았다. 또는 부당한 일을 겪거나 부정적인 사건에 연루되는 등 조직과의 마찰로 인해 어쩔 수 없이 이직하는 경우도 있었다. 그러나 최근에는 자신의 '이상(理想)'을 찾아 이직을 원하는 케이스들이 늘고 있다. 일한 만큼 충분한 보상을 얻길 원하거나(연봉, 복리후생 등) 좋은 조직문화를 갖춘 곳으로 이직하길 원하며 (재택근무, 수평적 조직문화, 자율적인 분위기 등) 때로는 커리어를 확장하거나 좀 더 자율적인 업무 권한을 위해 이직을 결심하는 사례도 많다. 단순히 이상(異常)을 회피하던 것에서 적극적으로 이상(理想)을 추구하는 것이 요즘 사람들의 이직 트렌드이기도 하다.

 최소 5년 이상의 직장 생활을 했으며, 최근 이직 경험이 있는 사람들과 여러 이야기를 나눠 보았다. 이직 시 가장 중요하게 생각했던 것이 무엇인지 물어보니, 대부분 금전적 처우(연봉, 복리후생 등)를 높여서 가는 것을 가장 최우선으로 삼았다고 했으며, 그 외에도 커리어 확장(승진, 업무 자율성, 직무 확장성 등)과 긍정적 조직문화(자율적 분위기, 재택근무 등)에 높은 가치를 부여한다고 답했다.

 최근에 많은 회사들이 긍정적인 조직문화 조성에 힘쓰고 이를 강조하는 분위기가 있다. 이러한 것만 갖춰져 있다면 당장 이직하겠다고 생각할 만한 조직문화 요소가 있는지를 추가로 물어보았는데, 이에 대해서는 하나의 요소로 쏠리지 않고 다양한 의견이 나왔는데 이 중 공통적으로 눈에 띄는 단어는 '자율' 이었다. 근무에 있어서는 자율 출퇴근을 원하며, 조직문화 또한 권한 위임과 자율성을 중시했으면 좋겠다는 의견이 많았다.

특히 스타트업이나 IT기업에서 적극 도입하고 있는 '자율 출퇴근'은 크게 두 가지로 나누어진다. 하나는 '시간적 자율', 즉 내가 원하는 시간에 출근과 퇴근을 하되 주어진 근무 조건만 채운다면 허용하는 제도이다. 이는 탄력근무제와도 다소 유사하지만 차이점은 탄력근무제는 출퇴근 시간을 8시~5시, 9시~6시, 10시~7시 등을 선택하여 해당 시간만큼 매일 근무하는 것이라면 완전 자율 출퇴근제의 경우 매일 일하는 시간을 체크하는 것이 아니라 월 단위로 체크하게 되어, 어느 날은 10시 출근하고 5시 퇴근하면 다른 날에 8시 출근해서 7시 퇴근하는 등 근로자에게 좀 더 자율성을 부과하는 것이다.

그리고 다른 하나는 '장소의 자율', 즉 일하는 장소를 선택할 수 있는 자율이다. 이에 대해 재택근무, 거점 오피스 활용 등 다양한 제도 변화가 이루어지고 있다. 네이버는 새로운 근무 체제인 '커넥티드 워크'를 도입했는데 전면 재택근무 또는 주 3일 이상 사무실 출근 등을 본인의 워크 스타일에 맞춰 선택할 수 있게 했다. 또한 SKT는 주요 거점에 거점 오피스를 도입, 재택근무의 단점을 보완하며 사무실과 재택근무의 장점을 모두 살려 출퇴근 시간과 비용 절감, 업무 몰입과 효율 증대 등을 꾀하고 있다. 자율 출퇴근 제도를 도입한 회사들의 선호도는 매우 높으며 이직을 결심하게 되는 계기에도 큰 영향을 미치고 있다.

또 다른 의미의 자율은 원활한 권한 위임을 바탕으로 '자율적'으로 일하고, 그에 대한 책임과 보상을 명확히 하여 일한 만큼 성과를 얻는다는 의미의 자율성이다. 예전처럼 윗사람이 시키는 대로 일하고, 예스맨으로 살아가던 시대는 지났다. 그리고 연공서열을 중시하는 회사의 분위기를 못 견뎌 하는 젊은 세대의 직장인들도 많아지는 추세다. 이는 매슬로우의 요구 위계 이론을 조직에 적용했을 때, 요새 직장인들은 가장 낮은 수준의 요구인 physiological(급여, 식사, 휴식공간 등)부터 safety(고용 안정, 안전한 환경, 보험, 보안, 복지 등), love(비공식 활동, 사교활동 지원, 코칭과 멘토링) 등의 충족은 당연한 기본값으로 생각하며 그보다 더 높은 수준인 esteem(인정, 신뢰, 포상, 승진 등), 그리고 가장 높은 수준의 요구인 self-actualization(성장 기회, 도전적 업무, 자율성)까지 충족해야 해당 직장 생활에 만족감을 느낀다고 볼 수 있다.

예전에는 회사에 무엇인가를 요구하는 것이 부적절하다고 생각하는 분위기였으며 다소 불만이 있더라도 모든 사람들이 비슷한 연차가 되면 비슷한 대우를 받는다고 생각했기에 조직에서 알아서 먼저 챙겨 주기를 바라며 기다리는 경우가 많았다. 그러나 요새는 본인의 성과에 대한 보상을 적극적으로 요구하며, 그러한 성과를 내기 위해 업무에 있어 권한 확보와 자율성을 갖는 것을 중시하게 되었다. 이를 갖추지 못한 회사에서는 인재의 유출이 빈번하게 일어나고 있으며, 이직처를 결정할 때 중요한 요소로 나의 업무에 있어 얼마큼의 자율성이 보장되는지를 철저하게 확인하는 경우도 많아지고 있다. 워크 앤드 라이프 밸런스(work and life balance) 가치를 추구하는 목소리가 높아짐에 따라, 이를 지원할 수 있는 조직 내의 제도 마련이 중요하며 좋은 제도의 도입과 동시에 조직 차원에서도 제도를 잘 활용할 수 있는 문화를 조성하는 역할이 반드시 필요할 것이다.

#3. 직장인의 딜레마

두 마리 토끼를 한 번에 잡을 순 없을까?

“

도전과 편안함 사이, 그 어딘가

좀 더 도전적인 일을 해 보고 싶은 마음과 좀 더 쉽게, 익숙하고 편한 상태를 유지하고 싶은 마음이 공존할 수 있다. 하고 싶은, 재미있는 일을 하려면 내 무엇인가를 바꿔야 하는가? 스스로를 채찍질하고 뭔가 배워야 하는가?

시간은 많은 것 같다가도 모자라고, 의미가 있을까 없을까 생각만 많아지고, 버티는 게 최선이라면 버티지 않았을 때의 마이너스가 얼마나 되는지 궁금해진다. 그러나, 알 수가 없다.

“

네트워킹의 중요성

열심히 일하는 것도 중요한데 일을 함에 있어서 여유라는 것도 굉장히 중요하다. 시간만 길게 때우는 것보다는 쓸모없이 버려지는 시간들을 모아 짧고 집중적으로 일하고 다른 시간들은 네트워킹에 보내는 것을 선호한다. 일은 혼자 하는 것이 아니고, 조직에 오래 있다 보면 더 더욱 네트워킹이 중요하다는 것을 안다.

나 혼자 잘난 것이 아니라 결국은 조직 내에서 서로에게 도움을 줄 수 있는 존재가 되는 것. 그리고 중요한 상황에서 그 사람의 이름이 떠오르는 것. 그것만으로도 일은 반 이상 해결된 것이다.

당신은 봄웜? 여름쿨?

조직생활과 퍼스널 컬러의 공통점

'퍼스널 컬러'가 한창 유행한 적이 있었다. 퍼스널 컬러의 핵심은, 사람마다 어울리는 색과 톤이 달라서 가능한 어울리는 색으로 옷을 맞춰 입거나 화장을 하면 그 사람의 매력을 더욱 돋보이게 할 수 있다는 것이다. 이를 회사 생활에도 적용해 볼 수 있다고 생각했다. 사람마다 어울리는 색이 다르듯, 사람마다 좀 더 잘 맞는 회사와 아닌 회사가 있는 것 같다. 어울리는 옷을 입으면 그 사람의 매력이 돋보인다. 이와 마찬가지로 잘 맞는 회사에 있으면 그 사람이 가진 능력이 돋보이고, 성과를 낼 확률도 높아진다.

내가 아는 지인은 한 회사에 오래 다니다가 이직을 했는데, 이전에 다니던 회사에서는 그럭저럭 나쁘지 않은 평가를 받았지만 그렇다고 해서 성과를 크게 인정받는 것도 아니었다. 그러나 새로 이직한 회사에서는 짧은 기간 안에 핵심인재로 분류되어 좋은 고과를 받고, 성과도 인정받으며 다닌다고 한다. 물론, 그분은 회사생활을 계속 하면서 업무지식이 계속 쌓이며 점점 더 좋은 고과를 받게 된 것일 수도 있고, 이직한 회사에 잘 적응하려 더 열심히 일했을 가능성도 있다. 그러나 사실 그분의 업무 스타일이 갑자기 달라진 것도 아니고, 없던 업무기술이 갑자기 생겨난 것도 아니었다. 이는 본인과 맞는 조직에서 일하는 것의 중요함을 보여주는 사례라고 생각한다.

또 다른 예도 있다. 다른 지인은 여러 회사를 거치며 특정 분야의 전문가로 성장하던 분이었다. 그렇게 회사를 옮기며 성장해가던 와중에, 어떤 조직에서는 성장의 정체를 느꼈다고 한다. 그동안 다양한 회사 스타일을 겪으며 웬만한 조직에는 대부분 잘 적응해 오던 분이었는데, 이상하게 한 조직에서는 적응도 힘들었고 특히 그분의 전문성까지 의심받으며 스트레스를 많이 받았다고 했다. 특정 분야를 깊게 파며 커리어를 쌓아왔기에 그 분야에는 매우 자신이 있었는데, 돌다리도 두들겨 보는 매우 보수적인 조직에서는 자신감 있는 태도에 대해 계속 꼬리질문을 하며 부정적으로 생각했다고 한다. 결국 그 분은 그 조직을 그만두고 잠시 쉬다가 다른 곳으로 이동했고, 이동한 곳에서는 또 승승장구하며 회사생활을 잘 해 나가고 있다고 들었다.

다른 예시를 하나 더 들어보겠다. 한 지인은 일은 너무 잘 하는데, 성과를 알리는 것에 매우 소극적인 사람이었다. 그분이 있던 조직은 그렇게 조용한 '일잘러'를 격려해 주는 문화는 아니었다. 그분은 몸까지 상해가며 열심히 일했지만, 조직에서는 그러한 헌신을 인정해 주기보다는 그저 더 많은 일을 맡길 뿐이었다. 그분도 결국은 이직을 결심하고 실행에 옮겼는데, 옮긴 곳에서는 짧은 기간 안에 승진하여 주위 사람들을 놀라게 했다. 그 조직에서는 조용하지만 묵묵히 일하는 그 사람의 스타일을 인정해 주는 곳이었다.

이처럼, 자신과 맞는 조직에서는 마치 잘 맞는 스타일의 옷을 입은 듯한 효과를 얻을 수 있다. 이와 반대로, 맞지 않는 조직에서는 성과를 내지 못하는 나 자신을 탓하며 자신감이 상실될 확률도 크다. 때로는 환경과 상황이 단지 나와 맞지 않을 뿐, 내가 문제가 아닐 경우도 있다. 왠지 모를 위화감, 그리고 스스로의 성장에 대한 정체감이 든다면 변화를 시도해 보는 것도 좋은 대안이 될 것이다.

#4. 나에게 '맞는' 조직이란

어쩌면 실력보다는, 조직과의 핏(fit)이 더 중요하다.

"

반드시 '이직'만이 답은 아니다

누군가에겐 괜찮은, 그럭저럭 다닐 만한 직장(조직)이 어떤 사람에게는 때론 지옥 같은 곳, 최악의 회사, 포기해도 되는 곳일 수 있다. 모든 건 상대적이다.

이직은 이 조직의 미래가 보이지 않거나 내가 이 조직에서 미래가 보이지 않을 때 결정하는 것이다. 이직을 고민할 때, 옮기지 않았을 때와 비교해서 나에게 효용이 적거나 없다면 조직이 싫고 특정 구성원이 싫다는 그저 단순한 이유로 이직을 결심해서는 안 된다.

"

조직과의 궁합, 그리고 기회

조직에서 중책을 맡는 것(주로 승진이겠지만 권한이나 책임을 더 맡는 것도 해당된다)은 그 조직과의 궁합, 그리고 다소의 운에 의해 이루어진다. 똑똑하고 역량도 있지만, 그 조직에서 원하는 방향성의 인재가 아니거나 때로는 단순히 승진 TO가 없어서 기회를 얻지 못하는 경우도 있다. 궁합, 그리고 기회. 두 가지가 어쩌면 실력보다 중요할 수 있다.

“

나는 준비되었는가?

이상은 굉장히 높고 이것저것 다 하고 싶은데 실천이 안 된다. 차근차근 준비한다고 하기엔 이미 연차가 적지 않고 도전에 대한 실패가 걱정되어서 쉽게 용기가 나지 않는다. 여러모로 진퇴양난. 한 우물을 파는 게 안전한 걸까? 하지만 이 우물이 맞는 건지 확신이 없기에 같은 장소를 더 파야 하는 것인지, 조금 더 비껴가서 파야 하는지, 아예 다른 곳으로 이동해서 파야 하는지 고민이 된다.

배울 수 있는 또는 배울 점이 많은 동료와 상사와 일할 수 있는 기회를 가져보고 싶다. 치열하게 업무에 대해 고민하고 실천하고 싶다. 지금까지의 노력이 헛되지 않았으면 좋겠다, 라는 느낌이 든다면 그 때가 바로 이직의 최적기이다.

성선설vs성악설? 자율과 규칙 사이

회사의 가치관과 개인의 가치관이 일치할 때

시너지가 생겨

최근에 이직을 하신 분과 안부 겸 이야기를 나눌 일이 있었다. 기존 회사와 새롭게 다니는 회사와의 차이점에 대해 말하다 보니 자연스럽게 기업문화에 대한 이슈로 넘어가게 되었다. 다양한 주제로 이야기를 나누면서 기업마다 다른 가치와 기준이 있음을 새삼 깨닫게 되었는데, 이러한 차이가 어디에서 비롯된 것일지에 대해 조금 깊게 생각해 보는 시간을 가졌다.

어떤 기업은, 규칙을 매우 중시한다. 회사 내규에 상세한 규칙들이 명시되어 있고 일을 하는 방식, 업무 프로세스, 그리고 처벌 규정까지 자세히 기술해 두는 회사들이 있다. 이런 회사의 장점은 명확한 규칙이 있기에 프로세스 예측이 쉽고, 초반 업무 인수인계를 받을 때 애매하거나 모호하게 생각되는 부분이 적다.

그러나 단점은, 너무 세세한 부분까지 규칙을 세워 두게 되면 업무 진행 시에 융통성이 사라지게 되고, 명문화된 규율에만 집착하여 때로는 큰 그림이나 방향성을 놓칠 수도 있다. 그리고 추가적으로, 처벌 규정이 세세하게 세워져 있으면 오히려 그러한 점을 이용하여 처벌 규정을 교묘히 비껴가는 방법을 생각해 낼 수도 있다. 부정적인 행위를 하지 말라고 세워 둔 규칙인데, 너무나 세밀해서 딱 그 규정에 들어맞지 않으면 역으로 처벌이 어려워질 수도 있다.

또 다른 기업은, 자율성을 매우 중시한다. 회사 내규에는 큰 방향성에 대해서만 언급되어 있고 목표, 프로세스 등을 계획할 때 개인의 자율에 맡기는 것인데 이런 회사의 장점은 당연히 개인에게 넓은 선택의 폭이 주어지기 때문에 업무 몰입도가 높아지고 개인에게 맞는 효율적인 방법을 찾아낼 가능성이 있다는 점이다.

그러나 단점은, 너무 두루뭉술한 방향성만 주어지면 업무를 시작할 때 참고할 만한 예시가 없어 혼란스러울 수 있고, 너무 많은 자율성은 모든 것을 스스로 선택해야 함을 의미하기 때문에 그러한 선택지들을 검토하느라 일 진행이 더디어질 수 있다는 것이다. 앞서 규칙을 중시하는 회사에서 세세한 처벌 규정이 때로는 실질적인 처벌을 어렵게 할 수도 있음을 언급했는데 자율적인 회사 또한 역으로 처벌 규정이 너무 포괄적이면 실제로 규칙을 어긴 직원에 대해 처벌 규정을 적용하기가 애매할 수 있다는 단점을 지닌다. '불미스러운 일', '피해를 끼치는 일' 등 모호하게 작성된 문구가 오히려 발목을 잡는 것이다.

그렇다면 왜 어떤 기업은 규칙을 중시하고, 어떤 기업은 자율성을 중시하는 것일까? 이에 대한 기저에는, 인간에 대해 어떠한 관점으로 바라볼 것인지에 대한 시각이 담겨있는 것 아닐까?

직원에게 자율성을 허가하면 주로 개인의 이익을 위해서만 일할 것이고 회사의 이익에는 덜 기여할 것이기 때문에, 세세한 규칙을 세워서라도 직원의 일하는 방식을 통제하려는 것은 일종의 성악설적인 관점일 것이다. 인간의 본성은 이기적이니 더 큰 이익을 추구하기 위해서는 규칙이 필요하다는 것이다. 반대로, 직원에게 자율성을 허가하면 개인은 더 효율적인 방식으로 더 큰 이익을 창출할 수 있을 것이라고 생각한다면, 사람을 믿는 성선설적인 관점일 것이다. 인간은 본디 선한 의도를 가지고 태어났기 때문에 자연스럽게 더 큰 이익을 추구하기 위해 스스로 노력한다는 관점이 배어 있는 것이다.

이와 조금 다른 얘기일 수는 있지만, 근본적으로 재택근무가 불가능한 직군과 회사를 제외하고 코로나19 이후로 재택근무 문화가 많이 확산되기 시작했다. 재택근무가 비교적 잘 정착되고 제도화된 회사에서는 성선설적인 관점에서 직원을 바라보고 있다고 생각한다. 어떤 환경에서든지 직원이 본인에게 주어진 업무를 잘 해낼 것이라고 믿기 때문이다. 그러나 재택근무에 대해 그다지 수용하지 않는 회사에서는 성악설적인 관점에서 직원을 바라보고 있을지도 모른다. 수시로 감시하고 지켜보는 눈길이 없으면, 직원들은 최선을 다해 일하지 않을 것이기에 재택근무 제도는 효율성이 떨어진다고 생각할 수 있다.

이러한 시각이 100% 정답은 아니며 얼마든지 다른 시각이 있을 수 있다. 그러나 회사가 지향하는 방향과 직원을 바라보는 시각이 조직문화에 큰 영향을 미치는 것 자체는 부정할 수 없을 것 같다. 그리고 자율적인 분위기의 회사가 모든 사람에게 다 최고의 직장은 아닐 수도 있으며, 규칙과 규율이 명확하여 체계가 잡힌 회사에서 업무의 효율이 올라가는 사람도 많을 것이다. 즉, 회사와 직원이 비슷한 시각과 가치관을 지닐 때 그 회사와 직원 간의 상호 만족도가 올라가고 근속연수와 로열티에도 긍정적 영향을 미친다. 나 자신은 어떤 가치관을 가지고 있을까? 회사의 조직문화를 분석하기에 앞서, 나 자신의 시각과 가치관에 대해서도 생각해 보는 시간을 가지는 것이 좋지 않을까?

#5. 요령껏 일하는 법

단순히 열심히 하는 게 아니라, 잘해야 한다.

"

단추를 잘못 꿰었으면 다시 끼워야 한다.

잘못 꿴 단추를 다시 끼울 순 있지만, 시간이 두 배로 든다.

문제가 발생했거나 불만사항이 있을 때, 바로 위의 상사를 건너뛰고 그 윗사람에게 가서 얘기하는 경우를 종종 본다. 그런데 그건 마치 공을 패스해야 하는데 가까운 사람이 아니라 멀리 있는 사람에게 던지는 것과 같아서 공을 제대로 받을 확률이 낮아진다. 공을 다음 단계로, 그 다음 단계로 차근차근 패스했으면 공이 제대로 전달될 수도 있었는데 거리의 문제, 각도의 문제, 때로는 받는 사람의 의도에 따른 문제 등 여러 가치 조건들이 부합하지 않아서 실패할 확률이 높아지는 것이다. 마음이 급하다고 해서, 내 일을 제대로 평가받지 못한다는 초조함에 정해진 순서를 지키지 않으면 원하는 방향대로 흘러가지 않을 가능성이 높다.

단추를 잘못 꿰었으면 다시 끼워야 한다. 만약 잘못 끼운 것에 대해 주변에 도움을 청할 때, 단추를 푸는 것을 도와줄 수는 있지만 다시 제대로 끼워야 하는 것은 본인의 몫이다.

나 혼자만 삽질하는 게 아니라는 것을 알 때는 정말 안도감이 들지만, 삽질도 얼마든지 적게 할 수 있는 법이다. 그 방법을 빨리 깨닫는 것이 회사 생활을 잘하는 것이다.

"

회사는 하루 이틀만 다니는 게 아니다.

일정을 자꾸 반복하지 않으면 불안하다. 머릿속이 온통 스케줄로 꽉 차 있고 행여 변동 사항이 생기면 나머지 일정도 다시 짜 맞추느라 가끔 머리가 터질 지경이다. 내 일에만 집착하고, 정해진 일정에 집착하는 일종의 일 강박이라고 할 수 있는데, 단기간의 업무 효율을 높이기에는 유효하지만 장기적인 관점에서는 마음도, 몸도 지치게 하는 습관이다. 당장 눈앞의 일이 아닌, 긴 시야로 1주일, 1달, 분기, 1년 등 점차적으로 목표를 넓혀가는 습관을 들여야 한다.

회사를 그만두는 이유

개인의 의지만으로 모든 일을 극복할 수 없다는,

한계를 느끼는 순간

"팀장님, A씨 그만둔다면서요."

나른한 휴일, 오후에 갑자기 카톡이 울렸다. 카톡을 보낸 사람은 친하게 지내던 후배였는데, 이직 이후로도 종종 만나기도 했고 회사 내에서도 아직 연락하는 사람이 많아서 가끔은 내가 모르는 소식도 전해주곤 했다. 요새는 잘 지내는지, 안부를 묻다가 후배가 불쑥 얘기한 A의 퇴사 소식에 조금은 심란해졌다. 그리고 A의 퇴사 소식을 이제는 회사 외부에 있는 사람에게 듣는 것 자체도 생경한 느낌이 들었다.

아무튼, A는 내가 잠시 TFT를 겸직할 때 같이 일했던 팀원이었다. TFT의 특성상, 모든 인원을 전담으로 두지 않고 여러 팀에서 한 명씩 차출되어 오는 케이스가 많은데 그중에서 A는 그 TFT만을 전담하기 위해 별도로 선발한 인력이었다. 나는 TFT의 간사(옛날 용어이긴 한데 일을 맡아 주선하고 처리하는, 주로 보고서를 쓰고 사무적인 일을 총괄하는 사람을 의미한다)였는데 그 프로젝트의 PM(프로젝트 매니저)은 임원급이었으므로 TFT의 주요한 결정이나 실무적인 처리는 주로 내가 담당하곤 했다. 그 프로젝트는 최근 트렌드에 대해 잘 알고 있어야 하기 때문에 전담 인력은 젊은 사람, 그리고 이 일에 대한 의지가 있는 사람을 지원 형태로 받아서 선발하기로 했다. A는 여러 명의 지원자 중에서 선발된 사람이었다.

TFT 업무가 그렇게 강도 높은 것은 아니었고 종료 기간도 두 번 연장하여 최종 보고까지 기간은 넉넉한 편이었다. 하지만 TFT를 괴롭힌 건 업무의 강도가 아닌, 서로 다른 방향성을 가진 두 명의 높은 분이 프로젝트에 같이 관여하고 있다는 점이었다. 열심히 고민해서 자료를 가져가도 한꺼번에 뒤집어엎거나 방향을 다시 처음부터 잡아야 하는 경우도 몇 번 있었다. 그리고 TFT를 인큐베이팅 하는 부문과 그 업무를 실제로 가져가는 부문이 다른 것도 골칫거리였다. 인큐베이팅 하는 부문에서는 여러 방향을 다 검토해야 하는 것 아니냐고 했지만 실무를 담당할 부문에서는 한두 방향으로 미리 가닥을 잡아 두고 깊게 파는 것을 원했다.

나도 회사 생활을 오래 했기에 이런 일 저런 일 다 겪어봤기에 이러한 핑퐁 치기, 엇갈린 의견 조율하기에는 이골이 난 편이지만, 이렇게 닳고 닳은 나조차도 가끔은 화가 솟구칠 때가 종종 있었다. 그리고 A도 처음에는 청운의 꿈을 안고 TFT에 합류했지만, 실제 업무가 진척되기보다는 제자리에 자꾸 맴도는 듯한 느낌을 받는 듯했다. 그래서 힘들어하는 A를 보면서 가끔은 너무 미안해지곤 했는데 그래도 TFT가 종료된 이후에 실제 이관되는 부서에서 잘 하기 위해 초석을 다지는 것이라고, 어차피 같이 하게 될 건데 이런 방향 저런 방향 다 겪어보는 것이 낫지 않냐며 다독이곤 했다.

TFT 종료 이후 나와 A는 그 업무로 합류하기로 대략 이야기가 오갔었는데, 갑자기 조직이 개편되면서 나는 그 업무에서 빠지고 다른 팀으로 발령 난다는 이야기를 들었다. TFT 종료 시점에 맞춰 그 업무는 해당 부문으로 넘어가며 조직이 새로 만들어지는데 거기에 나 말고 다른 TFT 담당이 합류하게 된 것이다. 나도 그 업무를 계속하고 싶었기에 아쉬웠는데 내가 너무 그런 티를 내도 안 좋을 것 같아서, 내 실제 기분보다는 담담하게 이야기를 전했다. 그리고 비록 나는 같이 일하게 되지는 않지만 같은 부문으로 발령 나니 어려운 일이 있거나 도움 청할 일 있으면 얘기해 달라고도 말했다.

그리고 그 이후로도 몇 번 밥도 먹고, 가끔은 안부도 물어가며 그 팀의 업무를 지켜봤다. 물론, 신규팀이기 때문에 겪는 고충도 있었을 것이고 코로나19로 투자금 확보 등 여러 상황들이 좋지는 않아서 업무가 생각만큼 빠르게 진행되고 있지 않다는 얘기도 들었다. 그리고 밝고 활기찬 인상이었던 A도 점점 가라앉은 표정으로 변해가는 것을 눈치채기도 했다. 그러나 내가 뭔가를 말하기에는 주제넘는다고 생각할까 봐, 선뜻 말 걸기가 어려웠다. 이제는 다른 팀으로 떠난 사람이, 도와 달라고 하지도 않았는데 말을 거는 것이 꼰대스럽게 느껴질까 봐 조심스러웠던 것도 있었다.

그러던 와중에, 퇴사 소식을 듣게 된 것이다. 사실, 그 소식을 들었을 때 마음 한구석에는 '올 것이 왔구나, 역시 그랬구나.'라는 생각이 들며 씁쓸해졌다. 내가 A를 아주 잘 안다고는 확신하지는 못하지만 나와 함께 일했던 5개월간을 돌이켜 보면 아주 열정적이고 새로운 것을 해 보고 싶어 하는 의지가 가득한 사람이었다. 내가 잘 알지 못하는 트렌드에 대해서도 열심히 조사해 오고, 같이 외근 갔을 때도 근처에 아주 유명한 디저트 가게가 있다며 소개해 주는 친절함도 있었다. 그리고 단순 업무를 반복해서 자료를 다시 수정하라는 다소 귀찮은 업무가 떨어져도 불평 없이 묵묵히 하던 사람이었다. 그런데 그렇게 묵묵히, 그리고 열심히 일을 하는 기저에는 새로운 업무에 대한 호기심과 앞으로는 더 재미있게, 잘할 수 있을 것이라는 기대감이 있었기 때문인 것 같다. 어느 순간부터 일의 진행속도가 더디어지고, 초반에 신사업이 받는 스포트라이트를 벗어나는 시점이 오게 되면 고비가 찾아온다. 개인의 의지만으로 모든 일을 극복할 수 없다는 한계를 느끼는 순간부터 갈림길에 서게 되고, 진정으로 이 업무를 하고 싶은지에 대해 진지하게 고민하는 시점이 도래한다.

건너 건너 얘기를 들어보니, A는 퇴사를 결정하긴 했지만 그 이후 아직 아무것도 정한 바는 없다고 한다. 사실 이 시점보다 그전에 좀 더 그의 고민을 들어줬으면 좋았겠다는 생각이 잠깐 들었지만 그러한 퇴사 결정이 하루 이틀의 충동으로 쉽게 내려진 것이 아니었음을 알기에,

내가 꺼내는 조언들이 A에게는 선택을 강요하는 또 하나의 폭력이 될 것 같아서 말을 아끼기로 했다. 최근 많은 후배들이 회사를 떠나는 일이 잦아졌는데 굳이 요청하지 않으면 선불리 조언하지 않기로 다짐했고, 그리고 그 후배에게도 마음을 다스릴 시간을 주어야 한다고 생각했기 때문이다. 좋은 후배가 퇴사하는 걸 보면 굉장히 마음 한구석이 허전해진다. 그러나 A에게는 여기보다 더 나은, 더 좋은 다른 곳이 있을 것이고 예전에 보여준 그 열정적인 태도만 있다면 어떤 일이든 잘 할 수 있을 것이라는 생각이 든다. A의 앞날을 응원한다.

#6. 인간관계에도 준비가 필요하다.

쉽고도 어려운 인간관계에 대한 짧은 생각들

“

딱, 하룻밤만 참아보자.

어떤 감정(특히 분노 같은 부정적인 감정)에 휩싸일 경우, 즉시 행동하거나 반응하는 것을 자제하고 며칠 경과를 지켜보면 그 일의 다른 면들을 검토할 수 있게 되고 생각보다 그렇게 분노를 자아내지 않는 일이라는 점을 깨닫는다. 의식적으로, 정말 어쩔 수 없이 바로 반응하지 않고 꾹 참았는데 다음 날 다시 생각해 보니 나에게 일부러 나쁘게 대하려고 그렇게 행동한 것이 아닐 수도 있겠다는 생각이 불현듯 드는 것이다. 그 생각이 스치자 마음이 한결 가벼워지고, 충동적인 반응을 했더라면 왠지 더 부끄러웠을 것 같다는 생각이 들며 안심이 되었다. 딱, 하룻밤만 참아보는 것을 추천한다.

“

듣는 훈련의 중요성

어색한 분위기를 잘 못 견디다 보니 조금만 조용하다 싶으면 말이 많아진다. 잘 들어주는 사람이 호감도가 높다는데, 잠깐이라도 마가 뜨는 것을 참지 못하고 말을 너무 많이 해서 다른 사람의 말까지 잘라먹을 수 있으니 조심해야 한다. 듣는 훈련을 평소에 많이 해야 서로 민망하지 않은 상황을 만들 수 있다.

"

불편한 대화는 미리 시뮬레이션을 해 보자.

불편한 얘기를 하는 것은 어렵지만 말하지 않고 담아두기만 하면 언젠가는 참지 못하는 날이 온다. 가끔 속으로 하고 싶었던 말과 그때의 상황을 시뮬레이션해 보는데 그냥 참기만 하는 것보다는 조금이나마 해소되는 느낌이 들기도 하고 실제로는 말하지 않더라도, 그 상황을 상상하며 시뮬레이션하고 말을 조금씩 고쳐보게 된다. 그리고 언젠가 꼭 그 말을 해줘야 하는 상황이 올 때 두서없이 폭발하기보다는 계속 연습했었던 정제된 말을 꺼낼 수 있는 때가 온다.

"지금의 선택이 최선이야!"

새로운 출발을 하는 나에게도,

주변 사람들에게도 해 주고 싶었던 말

최근, 내 주변 사람들을 기준으로 많은 변화가 있었다. 나의 이직도 포함해서 많은 사람들이 이직을 하거나, 때로는 전직을 하거나, 일을 그만두고 잠시 쉬는 사람들도 있었다. 내가 전 회사를 퇴사한 12월 전후로 회사에서 정말 친하게 지내던 동료 한 명이 먼저 이직을 결정했고, 예전에 같이 TFT를 했었던 후배 한 명이 회사를 그만두고 다른 일을 하겠다고 선언했고, 예전에 같은 팀에서 일했으나 작년 초에 그만둔 동료 한 명이 가게를 오픈한다는 소식을 전했으며, 친한 후배 한 명은 레퍼런스 체크를 해 줄 수 있냐며 연락이 왔다. 그 외에도 다른 회사로 이직했던 한 후배는 이직한 회사를 그만두고 잠시 쉬고 있다고 근황을 밝혔으며 또 한 명의 후배는 더 이상 회사에 얽매이지 않는 자유로운 사람이 되겠다며 프리 선언을 했다. 아주 친한 친구 한 명은 업무 스트레스로 여러 고민을 하였지만, 다행스럽게도 승진이 결정되어 기쁜 마음으로 축하해 주었고 친한 회사 후배 몇몇 또한 승진하고 그 중 한 명은 원하는 방향(100% 원하는 부서는 아니었지만)으로 발령이 같이 나서 축하한다는 연락을 했다.

원래 연말, 연초는 변화가 많은 시기라 새삼스러울 것 없다고 생각할 수 있지만 작년 말과 올해 초는 유달리 그 변화의 폭이 넓어졌다. 예전에는 단순히 이직, 승진, 그리고 가끔 퇴사 정도가 가장 큰 변화라고 생각했는데 최근에는 아예 새로운 직업을 갖거나, 자신만의 일을 찾거나, 아예 직장이라는 선택지를 없애고 새로운 삶을 개척하려는 사람

등 전혀 예상하지 못한 방향으로 변화가 일어났기 때문일 것이다.

그리고 그 변화의 중심에는, 다양한 가치관들이 있었다. 사실 나의 경우에도 오랜 관습에 젖어 천편일률적으로 직장에 다니는 것만이 정답이고 다른 길을 생각하지 않는 경향이 강했고, 퇴사나 이직을 고민하는 사람들에게 조언할 때도 "밖은 춥다... 그냥 여기 있어." 라던가 〈미생〉의 유명한 대사인 "회사 안은 전쟁터지만 밖은 지옥이다."라는 말을 인용해 가며 우려를 먼저 표명했던 기억이 난다. 하지만 세상은 변했고, 모두 다 한 방향으로 박 터지게 경쟁하기보다는 개인의 가치관에 따른 결정, 즉 100명이 있다면 100명 모두가 다른 가치관을 가지고 있기에 나에게 가장 맞는 삶의 방식을 선택해서 그 안에서 경쟁을 하는 것이 좀 더 승산이 있지 않을까 생각한다.

오랜 고민 끝에 본인의 방향성을 찾은 사람들은, 비록 나중에는 또 다른 고민이 생길 것이고 예전의 선택을 후회하는 순간이 올 수도 있겠지만, 그 방향성을 결정하는 그 순간만큼은 진심으로 믿었기에 대부분 표정이 홀가분해 보였다. 실수하면 어떤가? 후회하면 또 어떤가? 안 해놓고 후회하기보다는 우선 해 보고, 안 되면 왜 안 됐는지를 생각하는 것이 한 걸음, 아니 반 걸음이라도 내 삶의 가치관에 가까이 다가갈 수 있는 방법이 아닐까?

#7. 진로 또는 인생계획

첫 단추가 중요하지만, 인생은 노력하기 따름

“

적성에 대한 고민은 학생 때부터 해야 한다.

‘좀 더 인생설계를 잘 했으면 좋았을걸’이라는 후회가 들면서 가끔 대학 시절로 돌아가고 싶다는 생각을 한다. 그 시절로 돌아간다면, 어학, 전공, 자격증, 경험 모든 것을 고쳐 쓸 수 있기 때문이다. 진로가 정해지는 것은 참 무섭고도 어려운 일. 이걸 극복하기 위해서는 몇 배의 시간이 필요하다.

그렇기에, 어릴 때부터 적성에 대한 상담을 체계적으로 해 줘야 한다고 생각한다. 학교에서 공부하는 방법만 가르치는 것이 아니라, 내가 무엇을 좋아하는지 살펴보고 주변의 조언을 들어보는 시간이 너무나 중요하다. 어차피 돌아서 그 길로 오게 되어있는데, 비효율적으로 빙 돌아오게 되는 일이 많다. 무조건적인 공부보다 나침반을 쥐여주는 것이 중요하다.

“

첫 단추가 중요하다.

첫 단추가 중요하다. 어떤 업무로 일을 시작했으면 (삽질을 안 했다는 가정 하에) 다른 업무를 돌고 돌아도 결국 첫 단추가 끼워졌던 업무에 다시 회귀할 때가 많다. 첫인상 효과일까? 물론 자신의 적성과 좋아하는 분야를 처음부터 알기란 매우 어렵기 때문에 결과론적으로 그 업무가 나에게 맞는 업무인지 아닌지는 나중에야 알게 되는 것이다.

만약 적성에 맞지 않았다는 것을 아주 나중에 알게 될 경우에는, 자포자기하면서 그냥 버티는 경우도 있는데 어차피 그 업무를 하면서 발전도 없을뿐더러 즐겁지도 않다. 한시라도 빨리 다른 길을 생각해야 한다. 차라리 직장에서 보직을 변경하는 것보다 다른 방향을 택할 수도 있다. 지금까지 해왔던 일의 경험에서 일부만 남기고, 그 경험을 바탕으로 할 수 있는 전혀 다른 일을 찾아보는 것이다.

"

하고 싶은 것이 생겼으면 우선 실천해야 한다.

평생직장이라는 개념은 이제 옛말인 것 같다. 가치관에 따라 많이 좌우되는 것이다. 하고 싶은 일은 무작정 달려들기보다는 차분히 준비해야 한다. 그러나, 하고 싶은 것을 찾았으면 실천해야 한다. 계속 주위에 결심을 이야기하고 구체화시켜야 한다. 그래야 실현될 가능성이 높아진다. 오히려 사회생활을 어느 정도 했기에 공부에 대한 간절함이 더욱 생기고 이론에 치우치지 않는 실제 경험이 큰 자산이 될 것이다.

직장 생활 10년, 마음가짐의 변화

아등바등 살지 않기로 했다.

벌써 10년 넘게 회사를 다녔고, 10년 근속상이라는 것도 받아 보았다. 입사할 때만 해도 굉장히 꿈과 희망에 부풀어 있었던 것 같은데. 그리고 매년 무엇인가를 증명해 보이려고 아등바등했던 것 같은데. 지금은 마음가짐이 많이 바뀌었다.

처음엔 내가 원하는 곳으로 발령이 났고, 그 이후에도 원하는 부서로 한두 번 더 발령이 났다. 그런데 어느 순간부터는 꼭 원하는 곳으로 발령이 나지 않는다는 것을 알았다. 그게 아마 중간관리자가 된 이후였을 것이다. 내가 원하던, 원치 않던 상관이 없었다. 그저 일했다. 원했던 부서에서도, 원하지 않았던 부서에서도 나름의 의미를 찾을 수 있다고 스스로 위안하며 열심히 일했던 것 같다.

아니, 이 정도면 정말 열심히 일했다. 정말 단순한 업무의 무한 반복부터 처음 가게 된 팀에서 부서장과 사수 없이 아무것도 모른 상태에서 일하는 경험, 그보다 더 심각하게 회사 내에 그 업무를 해 본 사람이 없어 거의 맨땅에 헤딩해 가며 개척해 나간 경험까지. 불만이 없었다고는 말 못 하지만 최소한 주어진 업무는 책임감 있게 끝내려 열심히 달렸다. 내 개인 시간을 더 쪼개어 가며 업무를 마무리하고, 쉬는 시간에도 회사 업무를 걱정하고 고민하는 것이 일 잘하는 것이라고 여졌다. 그리고 그렇게 일하는 나 자신이 대견했다.

그런데 아이를 낳고 처음으로 회사를 길게 쉬어 보니, 그렇게 단기적으로 굵고 짧게 자신을 소모해 가며 일할 필요가 없음을 깨달았다. 워킹맘이 되면 일도, 가정도 모두 잘 돌봐야 하기 때문에 정신적으로 고단하고 체력적으로 힘들 줄 알았다. 물론, 아이를 낳기 전보다 생각할 것도 많고 체력도 더 많이 소비되는 것은 사실이다. 복직한 후에 바로 입술도 터지고 초반엔 살도 더 빠졌었으니까... 그러나 아이를 키우며 언제나 365일 회사 일을 생각할 수 없었다. 물리적으로 아예 불가능하다. 그동안은 집에서도 언제나 업무에 투입될 수 있게 회사 스위치를 켜 놓고 살았는데, 아이가 생긴 이후로는 에너지를 소모해 가며 스위치를 켜 놓을 수 없었다. 내가 방전되어 버리면 뒷수습이 더 힘들어지기 때문이다.

실제로는 더 바빠졌어도, 마음가짐이 여유로워진 것은 바로 이런 이유 때문일 것이다. 오늘까지 꼭 해야 되는데, 언제까지 끝내 달라고 했었는데, 이걸 더 생각해야 하는데... 꼬리에 꼬리를 물던 업무에 대한 마감 기한은, 실제 내가 생각했던 것보다 조금 더 여유가 있었다. 내가 생각한 마감 기한은, 스스로 아등바등하며 더 잘해보려고 했던 나의 예전 태도가 만들어 낸 환상일 수도 있겠다는 생각이 든다.

얼마 전 오래된 친구가 한탄하며 말한 적이 있다. 10년 전으로 돌아가서 젊음을 만끽하고 싶다고... 나에게도 10년 전으로 돌아가고 싶지 않냐고 물었지만, 바로 그 자리에서 아니라고 답했다. 지금 10년 전으로 돌아가서 새로운 삶을 살아도, 10년 후의 나는 지금의 이 모습일 것 같기 때문이었다.

비록 현재 상황이 예전과 달라서 그럴 수도 있고, 예전의 허둥대던 신입 시절과 10년 넘은 중간관리자의 차이로 인한 변화일 수도 있지만... 지금의 나를 긍정한다. 내가 겪은 10년의 경험과 삶의 태도, 마음가짐을 긍정하기로 했다.

#8. 결국 인간관계도 나를 위한 것

알고 보면 나 자신이 제일 이기적이다.

"

결국 나 자신을 온전히 아껴야 하는 것은 나의 몫이다.

어떤 사람의 본질을 알아보는 것은 어렵고 사실 그 사람의 본질을 알았다고 해서 내가 바뀔 건 없다. 생각보다 사람들은 사소한 것에 상처받는데 무의식의 수준에서 일어나는 것이라 인식하는 것도 어렵다. 다른 사람이 겉으로 웃어주고 위해주는 척한다고 해서, 그 모습이 진짜라고 착각해서는 안 된다. 하물며 나도 좋아하는 사람이 있고 싫어하는 사람이 있는데 모든 사람이 날 좋아할 순 없는 법이다. 내가 할 수 있는 것은 그저 내가 좋아하는 사람들에게 집중하는 것, 그것뿐이다.

"

사람은 본질적으로 이기적일 수밖에 없다.

때로는 "널 위해 하는 말이야(또는 행동이야)"라고 말하면서 행하는 것이 알고 보면 나 자신을 위하는 것에 다름 아닐 때가 있다. 그리고 남에게 조언해 주기는 쉬운데, 나 스스로에게 적용해 보면 나는 그렇게 못 할 것임을 깨달을 때가 있다. 남에게 조언하기 전에 무의식적으로 나의 바람을 투사하는 것이 아닐지 다시 한번 점검하자.

"

우리는 남에게 돈 주고 잔소리를 산다.

무엇인가를 배울 때 친한 친구, 가족 등 가까운 사이의 사람에게 배우는 건 정말 부담스럽고 싫은 일이다. 특히, 운전을 배우자에게 배우면 안 된다고들 하는데 배움에는 본질적으로 채찍질이 필요하기 때문이다. 내가 사랑하고 좋아하는 사람이 날 위한 것이라고는 해도 쓴소리를 하고 밀어붙인다면 머리로는 이해해도 마음이 따라가지 못한다. 그래서 우리는 잔소리를 돈 주고 산다. 남에게 돈을 주고 배우며 잔소리를 기꺼이 사는 것이다.

보고, 또 보고

대기업들의 보고 문화만 없애도, 일이 반으로 줄어든다.

대기업 계열의 회사에서 10여 년 넘게 근무하면서, '보고'라는 말을 정말 많이 접했고 많은 '보고서' 혹은 '보고 자료'를 만들었다. 특히 과장, 팀장으로 올라갈수록 업무 안에서 '보고'가 차지하는 비중이 점차 늘었고, 과장 때는 약 30~50% 정도였다면 팀장 때는 체감상 50~70% 정도가 '보고'에 할애되었다. 일단 각종 회의(전체 주간회의? 주로 팀장은 필참한다. 부문 회의? 이 또한 해당 부문의 팀장은 필참한다. 팀 회의? 당연히 팀 회의에는 팀장이 필참한다.)가 정기적으로 있으며 그 외에도 대부분의 전사 차원에서 공지하는 내용은 주로 팀장을 통해 전달되고, 팀장이 팀원에게 전파하는 경우가 많다. 그리고 특히, 대기업 계열사나 공기업 등 조직문화가 다소 경직된 곳에서는 일련의 보고 체계가 확고하게 있기 마련이다. 여기에서 말하는 보고 체계란, 단순히 회사 내에서 팀원-팀장-임원-대표로 이어지는 업무 보고 체계 외에도 그 계열사가 소위 '회장님'께 업무 상황을 보고하는 정기적~비정기적 일정, 그리고 때로는 계열사를 관리하는 지주사나 담당 조직에 보고하는 정기적~비정기적 일정도 포함한다.

생각해 보면 전 회사에서 오래 다닐수록 늘어가는 것은 보고서를 가능한 예쁘게, 논리 정연하게 정리하는 능력이었다. 여기서 말하는 '예쁘게'란, 디자인적으로 우수하거나 가독성이 뛰어나다는 등의 심미적인 의미가 아니고 굳이 해석하자면 '그럴싸하게'(요새는 '있어빌리티'라는 말도 많이 사용하는 듯하다)라는 의미에 제일 가까울 것 같다. 그렇다고 해서 '그럴싸하게'가 또 아주 나쁜 의미는 아닌 게, 기왕이면 같은 내용을 보고하더라도 상대방의 기분과 의중을 헤아린 단어를 쓸 줄 안다는 것이기 때문이다. 위로 올라갈수록, 실무적인 업무 기술의 습득보다는 누가 보고자료를 제일 그럴싸하게, 예쁘게, 있어 보이게 만드느냐가 그 사람의 역량을 평가하는 기준이 되기도 했다.

회장님 보고라도 잡혔다고 하면, 근 두어 달, 심하면 세 달 넘게 보고자료에 매달리는 진풍경이 벌어지곤 했다. 어차피 보고할 내용은 거기서 거기이고 크게 바뀔 것은 없지만 어떻게 순서를 정하고 편집하느냐에 따라서 그 보고의 성패가 갈렸다. 그렇기에 모든 팀장들은 보고 일정이 가까워지면 무한 자료 수정의 굴레에 빠져 주요한 업무가 거의 멈추곤 했다. 특히 매출 등 숫자를 관리하는 기획과 영업 부서, 그리고 각 부문의 선임 팀장들은 같은 내용을 A로도 만들고, B로도 만들고, C로도 만들었다가 다시 A로 돌아오는, 항상 비슷한 패턴을 경험하곤 했다. 내 경우에는 이러한 보고 관련 주요한 부서에 있어본 적이 거의 없었다. 딱 한 번, 기획팀에 있었던 적은 있지만 담당업무가 신사업이었기에 보고자료에 대해서는 나에게 아무도 기대하지도 않았고 업무를 맡기지도 않았다. 본 자료에 보조자료까지 더하면 100P가 넘어가는 PPT 중 아무도 읽어보지 않을, 거기까지 넘어가지도 않을 보조 장표 1~2장을 만드는 데에 그쳤다. 하지만 그렇게 사소한(!) 보조 장표도 보고는 보고라서, 매번 자료를 취합하고 수정하는 회의에는 항상 참여해야 했다. 그때의 나는, 뭔가를 더 맡고 싶어도 이미 보고 스타일에 200% 최적화된 선임 팀장님을 따라갈 순 없었기에 오늘도 야근 각인 선임 팀장님을 보며 안타까운 마음만을 느끼곤 했다.

수많은 보고를 겪으며, PPT나 엑셀로 문서를 제작하고 보고서를 만드는 데에 익숙해진 나는 이직 이후로 달라진 업무 환경에 조금 당황했다. 새로 이직한 곳은 젊은 사람들이 많고, 스타트업의 유연한 근무 환경이 장점인 곳이라서 여기에서 쓰는 프로그램은 예전 회사와는 달랐다. 특히, 엑셀로 보고서를 만드는 것은 나 혼자만 하는 것 같았다. 여기에서는 업무 공유 툴로 슬랙을 사용하고, PPT나 엑셀보다는 노션을 사용하는 사람이 많으며, 회의자료도 매번 회의 때마다 자료를 따로 작성하는 게 아니라 구글 문서로 공유할 내용을 적어 두면 서로 알아서 자료를 켜서 확인했다. 이전 회사에서는 보고를 위한 보고를 할 때도 많았고, 회의 때마다 해당 회의에 정해진 회의자료 포맷에 똑같은 내용을 구겨 넣으면서도 가능한 다른 단어를 사용하느라 골머리를 썩였다. 그러나 새로운 회사에서는 보고자료의 포맷이 맞지 않다고 지적하는 일도 없고, 간단한 보고는 모바일 메신저 대화로 끝낼 때도 많았다. 생각해 보면, 그동안 바빴다고 느꼈던 것은 여기저기에 다양한 '보고'를 하러 다녔기 때문이고 때로는 직접 보고를 위해 외근을 나왔어도 다시 사무실로 서둘러 복귀하는 등 조금은 비효율적으로 업무를 진행했기 때문이 아닐까? 물론, 전 회사에서는 체계적인 환경 속에서 업무를 배우고 적용하는 법을 배울 수 있었지만 조직이 커질수록 이러한 비효율을 바로잡고 본연의 목표에 집중하게 하는 쪽으로 노력을 했으면 더 좋았을 것을, 하는 아쉬움이 있다.

새로 이직한 회사의 문화가 정답이라는 것은 아니다. 그러나, 최소한 비효율적인 업무에 대해 제거하려는 노력을 지속적으로 해 왔다는 점이 굉장히 인상적이었고, 이에 대해 모든 구성원들이 자연스럽게 받아들인다는 점 또한 신선했다. 최근, 많은 기업들이 경직되고 비효율적인 기업문화를 바꾸려는 시도를 하고 있는데 이러한 문화 자체는 하루아침에 바뀌지 않기에 조직의 꾸준한 노력이 필요하다. 특히, 문화를 바꾸려면 말로만 바꾼다고 선포할 게 아니라 사소하더라도 구체적이고 실질적인 제도 변화가 필요한 것 같다. '보고' 방식만 개선하더라도 길바닥에 버려지는 많은 시간들이 조직의 본래 목적을 위해 투여되지 않을까? 많은 회사들이 보고를 위한 보고, 보고 또 보고가 없어지기를 간절히 바라본다.

#9. 대화의 기본 공식

결국 대화는 나와 상대방이 같은 지점에 동시에 도달해야 하는 것

"

대화는 이인삼각이다.

가끔 주어를 빼놓고 바로 문장부터 말하는 버릇이 있다. 상대방에게 말할 때 이미 내 마음은 저만치 앞서나가고 있기 때문이다. 상대방이 내 마음과 의도를 다 알고 있다는 전제를 하며 말하는 것이다. 그러나 대화는 이인삼각 같은 것이 아닐까? 누구 한 명만 앞서나간다고 해서 성공하는 것도 아니고, 한 사람이 넘어지면 같이 넘어지게 된다. 두 사람이 속도를 맞춰 같이 결승선에 들어와야 하는데 대화도 서로의 '속도', 즉 마음의 속도가 맞춰져야 그 대화가 추구하는 올바른 결말에 다다를 수 있다. 비록 속도를 맞추느라 조금 느리게 가야 될 때도 있지만 결국은 대화를 하는 사람들이 '올바른' 도착 지점에 '같이' 도달하는 것이 목표이기 때문이다.

"

'같은' 말 '다른' 해석

같은 말이라도 받아들이는 사람에 따라 해석이 다르다. 예를 들어, '대를 위해 소를 희생한다.'는 말에서 어떤 사람은 '소'의 의미를 절대

량으로 생각하고, 다른 사람은 상대적 가중치가 적은 것으로 생각하고, 누군가는 중요도가 낮은 것이라고 생각하며 또 다른 누군가에게는 우선순위가 높지 않은 것을 의미한다. 그렇기에 본질적으로 진정한 합의를 이끈다는 것은 거의 불가능한 일이다. 하지만 그럼에도 불구하고 특정 단어나 문장의 의미에 대해 최소한의 정의를 내린 후, 대화를 통해 같은 방향을 바라보게 하는 노력이 필요한 것이다.

"

당황할 때는 한 박자 쉬어라.

대화를 하다가 예상하지 못한 질문을 받거나, 구체적으로는 잘 모르는 사항에 대해 집요한 설명을 요구할 경우가 있다. 그럴 때는 많은 사람들이 굉장히 당황하게 되는데 특히 나의 경우에는 말이 굉장히 많아지고 빨라지는 편이다. 어떻게든 이 상황을 모면하기 위해 나도 모르게 방어기제가 발동하는 것이다. 그러면서 가끔 할 말 안 할 말이 가끔 튀어나오곤 한다. 나중에는 차라리 저 말은 안 하는 게 나았는데, 하고 후회할 때가 있다. 당황하더라도, 한 박자 쉬고 말을 골라야 한다. 쓸데없는 말을 많이 해서 상대방의 혼을 빼놓거나 논리에도 맞지 않는 내용을 횡설수설하며 내 자존감을 세우느니, 그럴 때는 차분히 상대방의 질문을 곱씹고 왜 저 질문을 했는지 의도를 먼저 파악하는 것이 중요하다. 당황할 때는 그 장애물에 속도를 내어 부딪치거나 넘어지지 말고 장애물을 뛰어넘거나 때로는 옆으로 빙 돌아가는 등, 한 박자 쉬어가며 어떤 해결책이 유효할지를 파악하는 것이 우선순위이다.

'내 일'의 주인이 되자

일에 끌려다니지 말고, '내 것'인 일을 할 때

만족감이 최고가 된다.

요새 사무실 근처에 소위 말하는 '핫플레이스'들이 많이 생겼다. 신사 가로수길의 유명세에 이어 '용리단길'로 불리는 골목길, 규모는 작지만 아기자기하면서도 세련된 감각을 뽐내는 가게들이 우후죽순 들어서고 있다. 코로나 시국에도 꽤 많은 사람들이 가게에 방문하는 것을 보며, 프랜차이즈들의 물량공세와는 또 다른 매력, 개성 있는 가게들의 힘을 느꼈다.

그런데 자세히 보니, 몇몇 카페와 음식점들이 영업을 하지 않고 있었다. 가게 문 앞에 내걸린 안내문을 보니, 특정 날짜까지 휴업한다는 안내가 대부분이었다. 오늘은 월요일, 이 근처는 회사 사무실이 많아서 직장인들로 붐빌 요일이고 내일은 공휴일이라 요새 뜨고 있는 용리단길을 방문할 사람들이 많을 텐데. 같이 점심을 먹은 팀원이 얘기하기를, 이 근처에 가게들은 이런 곳이 많다고 한다. 가게 주인이 마음 내키면 영업하고, 가끔 예고 없이 이렇게 휴업할 때도 있단다. 일반적으로 가게를 운영하는 사람들은 남들이 쉬는 날이 가장 대목이라, 주말이나 휴일에는 대부분 영업하는 줄로 알고 있던 나에게는 신선한 충격이었다. 손님이 많을 것으로 예상하는 날에 영업을 하지 않다니, 이 얼마나 용감한 결정인가?

예전에, 입사 초기에 영화관에서 1년 정도 근무한 적이 있었는데 영화관도 평일보다는 주말에 바쁜 곳이라, 주로 평일에 쉬고 주말에는 대부분 출근했었다. 처음에는 평일에 쉴 수 있으니 평일에 처리해야 하는 업무 - 예를 들면 은행 업무나, 관공서 업무 같은 것들은 휴가를 내지 않고 쉽게 처리할 수 있었고 평일에는 어디를 가든 한산해서 맘껏 휴무를 즐긴 적도 많았다. 그러나 그 즐거움은 처음 몇 달만 잠깐이었을 뿐, 점점 시간이 지날수록 다른 일반적인 직장인과 스케줄이 계속 맞지 않으니 오히려 나중엔 스트레스가 된 적이 있다. 그때 깨달은 것은, 남들이 쉴 때 쉬거나 남들이 안 쉴 때 쉬거나 받는 스트레스는 매한가지이며 그 스트레스의 원천은 내가 직접 쉬는 날을 결정하지 못하는 것에서 오는 게 아닐까 생각했다. 즉, 자율성이 박탈될 때 스트레스 지수가 올라가는 것이다.

결국, '내 일의 주인이 되느냐'가 일을 하는 데 있어 만족감을 좌우하는 것 같다. 남들과 똑같이 맞추거나, 남들과 완전히 다른 개성을 추구하는 것이 정답이 아니라 내가 그 순간에 '하고 싶은지, 아닌지'가 중요하다. 원하는 순간에 원하는 일을 하는 것, 남들의 눈치를 보느라 내가 정작 원하는 것을 추구하지 못하는 상황이 오면 어떤 일을 하든지 간에 스트레스로 다가올 것이다. 당장의 매출이야 줄어들겠지만, 그 일을 만족하며 장기적으로 끌고 나가려면 그 일에서 만족을 느껴야 하고 그래야지만 꾸준하게 일할 수 있는 의지가 생길 수 있다.

그렇기에, 오늘의 나는 '내 일의 주인'이 되고자 한다. 주도권을 잃지 않는 삶, 내가 추구하는 가치를 실현할 수 있는 일을 오늘도 한걸음 한걸음 해 나가려 한다.

#10. 마음먹은 만큼 할 수 없을 때

치열함과 신선함이 공존해야 한다

“

하고 싶은 일을 제대로 하자.

일을 반쪽짜리로 끝내버리는 것은 결국 그만큼의 책임감을 갖지 않았다는 의미일까? 아직도 여유로운 삶에 대한 동경과 뒤처지면 안 된다는 불안감 사이에서 갈등하고 있다. 좀 더 태도를 확실히 하지 않으면 이도 저도 못할 것 같아서 더 고민이 된다.

그냥 ‘내가 문제다’라고 생각하면 좀 더 쉬워질까? 잘못을 인정하기 싫은 걸까, 진짜 아니라고 생각하는 걸까? 어떤 것이 정답인지 아마 끝까지 모를 것이다. 지금은 그저 잘 참아내고 끝까지 해보자, 가 목표지만 같은 일이 반복되지 않게 더 치열해지는 수밖에 없다. 그게 근본적인 문제 해결일 것이다.

이러한 완벽에 대한 집착은 고질병이다. 잊을만하면 찾아온다. 확실한 대책이 필요하다. 난 나를 너무 모른다. 너무 나 자신을 벗어나지 않는 선에서 변하고 싶다. 완벽하게 만족하려면 온 신경이 곤두설 만큼 집중할 수 있는 일이어야 하고, 심지어 그 일은 재밌어야 한다. 찾는 건 정말 어렵다.

어쨌건, 결과론적으로라도, 하고 싶은 일을 한 번이라도 제대로 하는 것이 중요한 것 같다.

❝

정답은 없고, 앞으로도 없을 것이다.

일을 더 재미있게, 새로운 방식으로 할 수 있을 텐데... 생각하면서도 실천이 어렵다.

10여 년 넘게 일했어도 항상 일에 대한 새로운 마음가짐이 필요하다고 느낀다. 오히려 일을 시작한 지 얼마 안 된 사람들과 만날 때, 아직 열정에 가득 차 있는 사람들을 만날 때 오히려 '내가 너무 요새 트렌드를 모르는구나'라고 느껴질 때가 있다. 옛날에도 정답이란 것은 없었고, 앞으로도 정답은 없을 것이기에 지금까지 하던 일을 비틀어 생각해 보는 신선함이 필요하다.

실패해도 인간관계는 남는다

무엇이라도 하나 남을 수 있다면, 그 일은 성공이다.

모든 일이 다 잘 되면 좋겠지만, 일을 하다 보면 노력한 만큼 안 될 때도 있고(어떨 때는 노력 대비 잘 될 때도 있고...) 모든 좋은 조건을 다 때려 넣어도 실패하는 경우도 종종 있다. 나는 콘텐츠 업계에서 일하기 때문에 콘텐츠 하나하나를 프로젝트로 보고 흥행 및 성공을 위해 노력하기도 하고, 보통 일반적인 회사에서 다루는 프로젝트 - 나의 경우에는 앱 론칭이나 TFT 종료 후 신사업 진행 여부 결정 등이 해당될 것 같다 - 를 제시간 내에 마치는지에 따라 그 업무를 잘했는지 가늠하곤 한다. 모든 프로젝트에 나의 역량을 100% 쏟아부었다고 확신할 순 없지만 의욕이 붙는 프로젝트에는 때로는 영혼을 갈아 넣었다고 할 정도로 열심히 한 적도 많다. 그리고 그렇게 열심히 할 때는 현재 하는 프로젝트와 유사한 경험을 해 본 적이 없거나 그 프로젝트의 실패가 회사에 큰 타격을 줄 경우인 것 같은데 이럴 때는 모든 방법을 총동원해서 업무를 진행했었다.

그리고 이건 지극히 개인적인 신념에 가까운데, "일은 혼자 하는 것이 아니다."라고 생각하기 때문에 프로젝트를 진행하게 되면 최대한 같이 일하는 관계자들과는 좋은 관계를 유지하려 노력한다. 때로는 상대방 쪽에서 말도 안 되는 일을 요구하거나, 우리 쪽의 정당한 요청을 상대방이 거절할 때 등 관계를 뒤흔드는 사건들이 무수히 발생하지만, 최대한 감정적인 대응은 빼고 완전히 불가능한 것 외에 할 수 있는 건 최대한 해 주려고 한다. 보통 모든 관계는 '기브 앤 테이크(give and take)'이기 때문에 업무에 있어서도 예외가 없다고 생각하지만, 최소한 일을 할 때는 내가 주는 만큼은 아니더라도 상대방이 원래 줘야 할 최소한의 몫이라도 돌려준다면 그 외에는 개의치 않으려 한다. 왜냐하면 이 업계가 상당히 좁기 때문에, 이 프로젝트를 끝낸다고 해도 다음 프로젝트에서 또 마주치고, 또는 경쟁사 프로젝트에서 마주치고, 그럴 일들이 부지기수이기 때문이다. 최소한의 몫마저 돌려주지 않으려는, 아주 보기 드문 이기적인 사람만 아니라면 내가 좀 더 주고 잊어버리는 것이 마음이 편하다.

 이러한 태도 덕분인지, 소위 말하는 실패한 프로젝트에 같이 참여한 사람과도 관계가 좋은 편이다. 사실, 프로젝트가 실패하면 그 책임을 상대방에게 전가하기가 쉽고 프로젝트를 진행하면서 마음 상하는 일들이 더 많기 때문에 보통은 관계자들끼리 서먹해지는 경우가 많다. 서로를 비난하다 보면, "A 씨가 말하길, XX 프로젝트가 망한 게 B 탓이라고 하더라..." 하면서 가뜩이나 좁은 업계에 좋은 가십거리만 던져주기 십상이다. 그리고 암암리에 도는 그러한 소문들은 나같이 외부 일에 무심한 사람에게까지 가끔 흘러들어 오고, 그 소문의 주인공들은 실제로도 사이가 소원해지곤 한다. 나의 경우에는, 모든 실패한 프로젝트의 관계자들과 다 관계가 좋은 것은 아니지만, 몇몇 프로젝트 관계자들은 비록 그 프로젝트는 대차게 망했어도 아직까지 인연의 끈을 이어가고 있다.

그렇게 맺어진 사람들과는 때로는 만나서 예전 일을 꺼내며 그때는 이러이러한 것 때문에 힘들었었다, 하며 추억을 공유하곤 한다. (생각해 보니 이 정도라면 "라떼는 말이야~" 수준이다...) 그리고 돌고 돌아 다음 프로젝트에서 그 사람을 만나면 그렇게 반가울 수가 없다. 아직까지 친하게 지내는 P 씨가 가끔 말하곤 한다. "비록 우리가 그 프로젝트는 망했지만, 네가 얼마나 그 프로젝트를 살리려고 노력했는지 잘 알고 있어. 내가 막 던지는 아이디어들도 최대한 받아서 현실화시킬 수 있는지 검토하고 실현해 줬잖아. 그리고 같이 E 씨 설득하려고 밤새 통화했던 거 기억나? 내가 좋은 작품 하게 되면, 너랑 다시 하고 싶어."라고 말이다. 굉장한 칭찬에 낯 뜨거워졌지만, 그 프로젝트를 진행했었던 시절이 떠오르면서 그래도 같이 일하는 사람들에게는 걱정시키지 않으려고 이것저것 다 해보려고 노력했던 기억이 났다. 그리고 또, 아직까지 정기적으로 모임을 갖는 K 씨도 같이 했던 프로젝트를 상기하면서 비록 프로젝트의 결과는 좋지 않았지만, 여러 행사를 발로 뛰어가며 더 잘해보려고 고민하던 서로의 모습이 좋아서 아직까지 만남을 이어가고 있는 것 아니겠냐며 웃곤 한다.

일은 노력 여부와 관계없이 실패할 수 있다. 그러나 관련된 인간관계는 내 노력 여부에 따라 더 좋게 형성될 수도, 나쁘게 와해될 수도 있다. 비록 프로젝트는 실패했지만, 내 개인적으로는 좋은 인간관계를 얻었으니 결코 실패했다고는 볼 수 없을 것이다. 무엇이라도 하나 남을 수 있다면, 그 일은 성공이라고 표현해야 마땅하다.

#11. 인간관계의 기본 공식

어떤 관계를 맺을 것인지, 그것은 결국 나의 선택

“

의미 있는 삶이란 무엇일까?

의미 있는 삶이란 무엇일까? 남이 날 무조건적으로 기억해 주길 바라지 말고 그 사람이 잊지 않고 꼭 기억하고 싶어 하는 사람이 되어야겠다. 그것은 가족, 또는 친구라도 유효하다. 그런 사람이 단 한 명이라도 있으면 그 삶은 잘 살았다고 할 수 있다. 마지막에 잘 끝내는 것이 중요한데, 정말 후회 없이 최소한 가족들과 사랑하는 사람들에게 인정을 받으며 삶을 마감하는 것이 참 어려운 일이다. 비참하고 쓸쓸한, 마음이 외롭고 추운 사람은 되지 말자.

“

친구, 양보다는 질

정말 친한 친구는 나의 불행에 깊은 유감을 표하고 나의 행운에 제 일처럼 기뻐해 준다. 친구 사이에 질투심이 없기란 쉽지 않은데 그것이 가능하다고 느끼게 해 주는 사람. 좋은 친구 한 명은 그저 아는 사이일 뿐인 10명의 친구보다 낫다.

“

비교를 하기 시작하면 불행해진다.

나보다 못한 처지의 사람이 있으면, 나은 처지의 사람도 있다. 게다가 모두 같은 조건으로 시작하는 것이 아니기에 진정한 의미에서 비교라는 것은 무의미하다. 개개인의 현재 상황과 위치, 특히 본인의 상황과 위치에만 집중한다면 삶을 더 낫게 만들 수 있다.

일의 재미와 의미

"너무 재미있어서 시간 가는 줄 모르겠어요." 가 위험한 이유

최근 들어 시간 가는 줄 모를 정도로 재미있던 일이 있는지 떠올려 본다. 시간에 쫓겨 초조해한 적은 있어도, 시간 가는 줄 모르게 몰입한 적이 있는지는 아무리 생각해도 없는 것 같다. 그러한 감각을 잃어버린 지 참 오래되었다는 생각이 든다. 일은 원래 재미가 없기 때문에 당연한 결과일까?

칙센트미하이가 오래전부터 주장해 온 개념인 '몰입(Flow)'은 무언가에 흠뻑 빠져 있는 심리적 상태를 의미한다고 한다. '몰입'하는 순간에는 시간의 흐름도, 다른 중요한 일들도 잊고 심지어 본인의 존재조차도 잊을 수 있다고 한다. 일반적으로 '몰입'을 행복의 조건이라고 하는데 몰입하는 순간이 많을수록 즐겁고 의미 있는 순간을 많이 갖는다는 가정 하에 성립되는 이야기일 것이다. 그러나 일상의 '몰입'을 잃어버린 요즘, 그렇다면 나는 행복하지 않은 것인가, 스스로 되물어 본다.

예전에는 어떤 것 하나에 온전히 집중하는 것을 높은 가치로 삼았다. 목표 하나를 정하고, 그것을 위해 온 힘을 모으고, 열심히 달려간다. 남들이 보기에도, 내가 생각해도 너무나 열정적인 태도이다. 신입사원 시절에는 "너는 왜 그렇게 열과 성을 다 해서 일하지 않니?"라는 말이 제일 듣기 싫었다. 왜냐면, 나는 정말로 열과 성을 다 해서, 열정적으로 하는데 그걸 몰라준다는 생각이 들어서다. 뭔가 하나에 파묻히고 집중해서 모든 노력을 쏟아내야만 일을 잘 하는 것인 줄 알았다. 사실,

직장인들에게 '몸을 갈아 넣어' 일한다는 것은 일반적인 묘사이고 그것은 마치 그 일에 쏟는 시간과 애정을 표현하는 말로 미화되었다. 내가 가진 모든 것을 갈아 넣지 않으면, 뭔가 부족해 보인다. 그게 '일한다는 의미'이며 많은 직장인이 지켜야 할 암묵적인 규칙에 가까웠다.

그러나 모든 것을 갈아 넣어야만 일을 '잘 하는' 것일까? 모든 것에는 체력, 시간, 정신적 에너지, 돈 등 많은 것들이 포함되어 있다. 그런데 모든 것을 다 털어 넣어서, 고작 얻는다는 것이 "XX 씨, 열심히 하네." 한 마디와 일을 다 해 냈다는 '뿌듯함' 정도라면 과연 수지 타산이 맞는 일인지 싶다. 사실, 경제적 관점에서도 적은 자원을 투입해서 가장 많은 결과물을 얻는 것이 가장 최선이지 않은가. 그런데 "일"의 관점에서는 all-or-nothing(모두 털어 넣거나, 아예 안 넣거나)의 문제가 아니라 all-and-nothing(모든 것을 털어 넣었는데 남는 게 별로 없다)이 된다니 참 아이러니하다.

생각해 보면, 사회생활 초창기만 해도 엉덩이가 무거운 사람, 야근을 많이 하는 사람, 무슨 일을 하든지 간에 본인의 개인 시간까지 투여해 가면서 일을 떠맡는 사람을 선호하고 그 사람들에게 승진의 기회를 더 부여했던 것 같다. 그리고 아직까지 많은 보수적인 기업들이 이 기조를 유지하고 있다. 하지만 최근엔 어떤가? 뼈 빠지게 일하고 몸을 갈아 넣어서 일한 다음 승진을 한다고 치면, 그 반대급부로 건강을 해치는 경우를 많이 보아 왔다. 그리고 회사 일에만 몰두한 나머지 가족들과의 관계가 소원해지거나 자녀들과의 관계도 삐걱대는 경우도 많이 보아 왔다. 물론, 이 모든 것을 다 완벽히 해내는 사람이 있을 수 있다. 하지만 평범한 보통 사람 기준으로 일반적으로 평가했을 때는, 일에 모든 자원을 투자했을 때의 결과가 전체 삶의 질에 미치는 영향을 반드시 고려해야 할 것이다.

그래서, 다시 몰입으로 돌아가 본다. 몰입 자체가 나쁜 것은 아니다. 가끔은, 내가 너무나 좋아하는 것을 하면서 나도 모르는 흐름에 몸을 맡기고 싶어질 때가 있다. 그리고 그런 경험이 가끔 찾아올 때는 너무나 반갑다. 그러나 매일, 매번, 매 순간 몰입을 한다면 내가 삶의 주도권을 갖는 순간도 잃게 되는 것이다. 나의 삶을 송두리째 바치고, 그로 인해 몰입하는 순간이 많은 것이 행복의 잣대라고는 생각하지 않는다.

점점 더, 일의 재미와 의미를 찾게 된다. 그리고 특정 업무에서 의미와 재미를 못 찾을 경우에는 실망하기도 하고, 혹시 나만 못 찾은 것은 아닌지 초조해지기도 한다. 그러나 모든 놀이가 재미있지는 않은 것처럼, 모든 일이 재미있기를 바라는 것은 어불성설이다. 그리고 일의 의미는 그 일을 하는 순간에 찾는 경우보다는 그 일을 다 마쳤을 때, 그리고 때로는 한참 전에 끝난 일에서 찾게 되는 경우가 많은 것 같다. 지금 하는 일이 당장 내일, 아니면 한 달 뒤, 10년 뒤 나에게 어떤 의미로 다가올지는 그때 가봐야 아는 것이다. 그리고 일의 의미는 그 일 하나하나에 있는 것이 아니라 내가 지금까지 경험한 모든 일들이 씨실과 날실로 엮여 특정한 패턴을 그려낼 수 있을 때 더욱 의미가 커진다. 그렇기에, 당장의 일의 재미와 의미가 없다고 해서 자포자기하거나 낙담할 필요는 없다.

그렇기에 일을 할 때는 꾸준함과 흔들림 없는 마음가짐이 필요하다. 당장 어떤 일을 성사시키기 위해 모든 걸 갈아 넣을 필요가 없다는 것을 알게 되고, 그게 행복이랑 직결되지 않는다는 것을 깨닫게 되면, 자연스레 일을 대하는 나의 자세와 마음가짐에 대해 집중하는 시간이 생긴다. 그러한 시간을 확보하게 되면, 일의 의미가 시간이 깊어질수록 더욱 커진다는 것을 알게 되고, 그러한 깨달음이 몇 번 찾아오게 되면 일의 재미 또한 순간적으로 찾아오게 된다. "내 일은 재미가 없어.", "내 일의 의미를 모르겠어."에서 "일을 꾸준히 하게 되면 내 업무에 의미가 생기고, 그 의미가 모여 재미가 된다."라는 귀중한 결론을 얻게 되는 것이다.

#12. 타인을 이해하려면

타인을 이해하기 전에, 나부터 이해해야 한다.

"

나 자신부터 돌아보자.

사실상 세상 거의 모든 관계에는 이면에 기브 앤 테이크(give and take)가 숨겨져 있다. 많은 것을 주진 못했어도, 적어도 남의 것을 함부로 뺏거나 아무것도 주지 않은 것은 아니라고 생각했다. 하지만 받아들이는 입장에서는 다르게 생각할 수도 있는 것 같다. 웃는 낯에 침 못 뱉는다는 옛말이 있지만 요즘 보면 딱히 그런 것 같지도 않다.

자신이 남에게 이용당하는 관계는 싫다면서 다른 사람의 이용 가치가 없어지면 획 돌아서버리는 사람이 있다. 그럴 땐 정말 당황스럽지만, 나는 단 한 번이라도 그런 적이 없었는지 오히려 자신을 돌아보는 계기로 삼아야 한다.

때로는 친절하게 대하는 태도가 나에겐 독이 된다. 때로는 무관심으로 일관하는 태도가 나에겐 득이 된다. 아무리 좋은 의도였어도 그 의도를 몰라준다면 안 하느니만 못하다.

충분히 제 목소리를 내면서도 상대방의 마음을 다치지 않게 하는 것.

딱 그만큼의 기술이 필요하다.

"

나는 과연 나 자신을 잘 알고 있을까?

아무리 주변에서 칭찬을 많이 해도 왠지 모르게 내키지 않는 사람이 있다. 그냥 첫인상이 별로여서, 나를 대하는 태도에서 뭔가 숨기는 것 처럼 느껴져서, 내가 별로 좋아하지 않는 다른 사람과 왠지 닮아서... 한 번 낙인을 찍으면 그 사람의 모든 것이 다 좋지 않게 여겨진다. 그런데 어느 날, 그 사람에게 뭔가를 물어볼 일이 생겼는데 우려와 달리 너무나 친절하게 알려줬고 심지어 물어보지 않았던 정보까지 추가로 챙겨서 알려주는 것이었다. 그저 내가 괜한 선입견을 갖고 말을 먼저 안 걸었던 것일 뿐, 정말로 괜찮은 사람이었다.

알고 보면 내가 그 사람을 꺼려 한 것은 그 사람이 내가 갖고 있지 못한 어떤 것, 내 무의식중에 열등감을 느끼는 부분을 그 사람이 갖고 있기 때문일 수도 있다. 사람은 역시 직접 겪어봐야 하고, 상대방을 함부로 평가하기 전에 나 자신의 열등감이 투영된 것은 아닌지 내 마음을 살펴볼 필요가 있다.

그리고 남이 가진 것을 부러워하거나 질투하는 나 자신을 발견할 때, 아무렇지도 않은 듯 괜찮다고 생각하며 마음 한편에 밀어놓기만 하면 마음이 병든다. 부러워하거나 질투하는 마음 자체를 부정하지 말고 있는 그대로 인정하되, 그렇다면 상대방의 입장에서 바라봤을 때 내가 가질 수 있는 장점과 긍정적인 부분 또한 스스로 찾아내어 자존감을 올리는 계기로 사용해야 한다. 타인의 장점과 나의 장점을 같이 인정할 때, 건강한 관계를 만들어 갈 수 있다.

멘토의 조건

회사 생활뿐만이 아니라,

인생 전반에 대한 조언을 해 주는 사람

살면서 진정한 멘토를 만나는 사람이 과연 몇이나 될까?

회사 생활을 하다 보면, 주로 업무적인 유대관계를 맺는 사수 - 부사수의 관계는 많지만 멘토가 있다는 사람은 드문 것 같다. 사수 - 부사수의 관계는 원하든 원치 않든 간에 업무를 배우고, 인계받는 과정에서 자연스럽게 생기는 다소 반강제적인 관계이지만 멘토라는 것은 상호 간 무언의(또는 직접적인) 합의에 의한 관계이고 강제성이 없으며 단순히 업무적인 것 외에 회사 생활 전반, 때로는 인생 전체에 대해 조언을 해 주는 관계라고 생각한다.

나는 운 좋게도, 예전에 같이 일했던 팀장님과 멘토 관계를 맺었다. 현재 그 팀장님은 회사를 옮기셨지만 아직까지 꾸준히 연락을 주고받고, 소소한 기념일을 챙기거나 종종 만나서 근황을 묻곤 한다. 팀장님은 우리 회사에서 신사업을 진행할 때, 내부에는 전문가가 없어 경력직 채용을 통해 입사하신 분이었는데 관련된 업무에 대해 지식이 전무한 팀원들을 위해 따로 자료를 만들어서 설명도 해 주시고, 관계자들과 의논할 때도 어떤 부분을 주의 깊게 챙겨야 하는지를 알려 주곤 하셨다.

그리고 업무 외적으로도 도움을 많이 받았는데, 팀장님이 항상 강조하시는 부분이 자기 계발과 투자였다. 항상 출근을 일찍 하셨는데, 자격증 공부를 하거나 업무와 관련된 정보를 찾아보고 팀원들에게도 공유해 주곤 하셨다. 그리고 부동산 투자와 내 집 마련의 중요성에 대해 항상 강조하셨는데 팀장님은 그 어렵다는 부동산 관련 자격증도 이미 보유하고 계셨고 토지 경매 경험도 있었으며 집을 살 때 어떤 점을 중점적으로 봐야 하는지에 대해 정보를 꿰고 계셨다. 심지어 업무 외 부업으로 부동산, 온라인 유통 플랫폼 강의도 별도로 하셨다. 정말 존경스러웠던 점은, 일은 일대로 잘하시고 그 외에도 다른 수익 창구를 계속 만들고 계셨던 것이다.

그 팀장님 덕분에 그간 한 방향만을 보고 살아왔던 내 인생에 조금이나마 파장이 있었던 것 같다. 일적으로 성공하는 것도 의미 있지만, 일에만 매진해서 모든 걸 걸기보다는 조금씩 다른 취미나 수입에도 눈을 돌려보게 된 것이다. 물론, 아직 내가 본격적으로 다른 일을 시작하지는 않았으나 팀장님의 영향으로 조금이나마 주식도 해 보고 글도 써 보고 건물이나 땅에도 관심을 가져 보기도 한다. 그리고 자격증 공부를 고민했다가, 차라리 원래 관심이 있었던 분야의 학업을 본격적으로 해 보겠다는 결심이 들어 내년을 목표로 조금씩 준비 중이다. 회사 입사 이후로 특별히 목표 없이 살았던 것 같은데, 큰 목표 하나를 정하기보다 작은 목표들을 여러 개 세우고 하나씩 달성해 나간다면 적절한 긴장감에서 오는 활기로 지금보다 더 나은 삶을 살 수 있지 않을까?

#13. 지금 이 순간을 소중히

평범한 일상에서 얻는 교훈들

“

객관적인 자기성찰

상담을 해 보니 그래도 남에게 나의 객관적인 상황에 대해 정확한 진단을 받고, 그 상황이 괜찮다고 하는 것에 대해 안심이 되었다. 너무 가까운 사람에게는 상담보다는 위로와 위안을 받고, 제3자인 전문가를 통해 이야기를 듣는 것이 훨씬 신뢰도가 높다.

객관적인 조언이나 상담을 받아보면 좋은 것이, 문제라고 생각하지 못했던 점들과 왜 그런지에 대한 이유를 자꾸 찾아가며 근본적인 원인을 찾는다는 것이다. 무의식적으로 넘겨왔었던 것을 의식으로 불러내고 그걸 언어로 표현하는 것만으로도 큰 도움이 되는 것 같다.

“

평범한 것이 제일 어렵다.

평범하게 사는 것이 사실은 제일 어려운 것이다. 그리고 행복의 양과 질 중에서는 무엇이 우위일까? 사실은 소소한 행복을 자주 느끼는 빈도가 중요하다는데, 우선 내가 어떤 일에 소소한 행복을 느끼는지 깨

답고 정의하는 것부터 시작해야 한다.

결국 평범한 사람이 좀 더 나아지기 위해서는 시간, 그리고 그 시간을 알차게 채워 집중하는 꾸준함이 필요하다. 잘 하는 분야, 재능을 알았다면 점점 좁혀서 접근해야 한다.

“

일상의 소중함

최근 가족의 상실과 가까운 사람의 별고 소식을 들으니 역으로 일상의 소중함을 깨닫는다. 주변을 더 챙기고, 나 자신도 더 잘 돌보고. 그래도 내 사람에게는 좀 더 잘해야 하는데... 너무 가까워서 신경을 못 쓴 것 같다.

나이가 들어갈수록, 소중한 것이 늘어날수록 세월이 빨리 지나가는 게 느껴진다. 정신 차려보니 벌써... 이런 생각이 든다. 그리고 비로소 그러한 소식들 사이에서 희망과 간절함을 찾게 된다.

해 왔던 일과 하고 싶은 일

영원히 끝나지 않는 밸런스 게임

업을 선택해야 하는 기로에 놓일 때, '엄마가 좋아? 아빠가 좋아?' 급의 밸런스 게임에 도전하게 된다. 보통 '잘 하는 것 vs 하고 싶은 것' 또는 '할 수 있는 것 vs 하고 싶은 것' 사이에서 밸런스 게임을 하게 되는데 여기에서 주목해야 하는 점은 항상 '하고 싶은 것'의 대척점에 현실과의 타협점이 오게 된다는 것이다.

어렸을 적 장래희망에 대해 고민할 때는 현실적인 요건에 대해서는 많이 고려하지 않는다. 이때는 '관심 있는 것', '하고 싶은 것'에서 시작하지만 '잘 하는 것'으로 점차 확대해가는 과정을 겪는다. 그래서 이 시기는 하고 싶은 것을 하느냐, 지금 잘 하는 것을 하느냐를 주로 고민하게 된다.

여기에서 좀 더 나아가 청년기나 사회 초년기가 되면 현재 보유한 능력('잘 하는 것')에 앞으로의 가능성, 소질 등의 여건들을 고려해 '할 수 있는 것' 또는 '잘할 수 있는 것'까지 선택지에 넣어 어떤 일을 할 것인지를 고민하게 된다. 이 과정에서 '하고 싶은 일'을 선택하는 사람도 있지만 '잘 하는 일', '할 수 있는 일'을 선택하게 되는 경우도 많고 선택지에는 없었지만 '어쩔 수 없이 시작한 일'까지 포함해 다양한 방향으로 커리어를 시작하게 된다.

어찌어찌 시작한 커리어에서, 첫 선택이 잘 맞아서 승승장구하고 만족하는 경우도 있겠지만 많은 경우에는 잘못된 선택에 방황하기도 하고 그 과정에서 스트레스를 받기도 한다. 나에게 '맞는'업을 다시 찾기 위해 업계를 바꾸거나, 직무를 바꾸거나, 이직하거나, 퇴사하거나, 자영업을 하거나, 프리랜서나 크리에이터가 되거나, 전문직 준비를 하거나, 학교를 다시 가거나 자격증 공부를 하거나, 다양한 방법들을 시도한다. 흔히 말해 '젊을 때'는 이러한 시도들에 대해 대체로 긍정적이다. '나의 길'을 한시라도 빨리 찾아내고 재정비하기 위해 드는 시간과 노력에 대해서 때론 질타도 받지만 격려와 응원을 받는 경우도 많다.

그러나 어느 정도 커리어를 쌓은 이후에 방황하는 경우도 부지기수이다. 이때의 밸런스 게임은 '하고 싶은 일'과 '해 왔던 일' 사이의 선택이다. 보통 지금까지 '해 왔던 일'은 꽤 많은 시간을 들여 업력을 쌓아왔고 최상은 아니더라도 기본 이상은 인정받을 확률이 크다. 그렇기에 해 왔던 일을 버리고 이제부터는 '하고 싶은 일'을 하겠다고 선택하는 것이 쉽지가 않다. 이럴 경우 주변에서 만류하는 경우도 많고 스스로도 선택에 대한 후폭풍을 감당하기 어려워 망설이다가 시기를 놓칠 수도 있다.

우리는 왜 자꾸 '하고 싶은 일'로 회귀하는 것일까? 어쩌면 이러한 회귀는 '가지 않은 길에 대한 미련'이라는 본능일 수도 있고, 인생의 한

번쯤은 '내가 하고 싶은 일을 제대로 해 보겠다'라는 단단한 마음가짐의 표현일 수 있다. 아니면 그럭저럭 나쁘지 않았다고 생각했던 일이 나를 조금씩 좀먹고 있었다거나, 단순히 현재의 특수한 상황으로 극도의 스트레스를 받아 모든 것이 의심스러워지는 와중에 특별히 커리어적인 고민이 더욱 크게 포함되었을 수도 있다.

여러 원인들이 있겠지만 '왜 하필 이 시기에 커리어를 두고 방황하는 것일까'라는 생각이 든다면, 그게 어떤 원인이든 간에 현재 상황이 만족스럽지 못하기 때문일 것이다. 앞서 커리어 고민은 '하고 싶은 일'과 다른 가치 있는 일들 간의 밸런스 게임이라고 언급했는데, 밸런스 게임은 반드시 양 저울에 올라간 안건이 비슷한 중요도와 가치를 가져야 한다. '하고 싶은 일'은 마법 같은 단어라, 그 일을 하지 못하는 현실에 대해 원망하게 되거나 무모하고 성급한 선택을 하게 만들 수도 있다. 즉, '하고 싶은 일'이 항상 정답이 아니라는 것이다.

'잘 하는 일', '할 수 있는 일', '해 왔던 일' 모두 '하고 싶은 일'과 동등하거나 유사한 가치를 지닌다. 그렇기에 이러한 방황의 시기가 찾아왔을 때, 지금까지 걸어온 길을 되돌아보고 차분히 정리해 보는 시간이 반드시 필요하다. 유명한 심리학자 에릭슨의 심리 사회적 발달이론에 따르면, 인간은 영아기부터 노년기까지 전 생애를 걸쳐 발달한다고 한다. 인생의 중반을 넘어가는 시기에도 '왜 나는 무엇 하나 결정하지 못

하고 방황하고 있을까' 고민하고 있다면 그 방황은 평생의 발달을 위해 반드시 거쳐야 하는 과정이라고 생각하면 마음이 한결 편해질 것이다.

#13. 오래 할수록 보이는 것들

현실에 안주하면 안 되는 이유

“

나, 뭐하고 살지?

손재주 글재주 이런 게 없는 나로서는 평범한 직장인만이 답인 것인가… 재주가 있는 것이 단순히 공부를 잘하는 것보다 삶을 더 풍요롭게 만드는 것 같다.

실천도 안 하면서, 계획도 없으면서 현재 상황에 대한 불만과 무기력함만 쌓여간다. 뭔가 강력한 한 방이 필요하다. 나 스스로의 의지가 너무 나약해서 이제는 외부에서의 충격 또는 자극이 필요한 시점.

“

이 일은 나에게 맞는 것일까?

업무에 크게 재미를 못 느끼는 이유 중 하나가 이 업무가 너무 익숙하고 실무 경험을 오래 해서 도전적이지 않다는 것이다. 새롭게 배우고 싶거나 바꿔보고 싶은 면들이 없거나 없을 것 같으면 더욱 그렇게 느껴지는 것 같다.

이제 어딘가 옮겨서 새 출발을 하기엔 너무 무거운 연차가 된 것일까? 한 회사에서 오래 다녔고 여러 부서에 있었다는 것은 이직하기엔 크나큰 마이너스이다. 그래도 재미있게 하려면 얼마든지 재미있게 할 수 있는 분야인데 여기에서 꽃을 피우려면 어떻게 해야 할까?

"

솔직함의 미덕

솔직함이 미덕이라고 생각하지만 사실 직장 생활을 하면서 특히 상사에게 솔직해지기란 쉽지 않은 것 같다. 오히려 뭘 모르고 그저 열심히 했던 입사 초기 시절에나 가능한 것 아니었을까? 오늘도 난 눈치를 보았고, 조언은 내 행동과 반대로 하였다.

너무 욕심내는 것처럼 보일까 봐 아무 말 안 했는데, 우는 애 떡 하나 더 준다고, 그래도 나 여기 있고 나도 할 수 있다고 손들어보는 솔직함도 필요하다.

일 욕심은 좋은 걸까?

'일 욕심쟁이'에서 그냥 '일 쟁이'로

“

"너, 일 욕심 많구나?"

이런 말을 들으면 기분이 어떤가? 예전 같았으면, 기분 좋은 칭찬으로 들었을지도 모른다. 일에 대한 열정이 넘치고, 일을 좋아한다는 의미로도 여겨지니까. 그리고 일 욕심이 많은 사람은, 때로는 회사 차원에서는 굉장히 선호하는 인재가 될지도 모른다. 일을 하려는 의지가 충만하고, 어떨 때는 신입사원이 가져야 할 필수 덕목의 자세처럼 느껴지기도 한달까. 일 욕심 많은 나, 제법 괜찮아 보인다.

하지만, 생각해 보면 '일 욕심'에서 '욕심'이라는 단어는 주로 부정적인 상황에서 쓰게 된다. 누군가에게 욕심을 부린다는 말을 듣거나, 욕심쟁이라고 불리면 사실 기분이 좋을 리 없다. 단어의 정의를 살펴봐도 '분수에 넘치게 무엇을 탐내거나 누리고자 하는 마음'을 뜻한다고 하는데, 자신에게 허용된 것 이상으로 과하게 요구하는 행동을 보통 '욕심을 부린다'고 하는 것 같다.

그렇기에 '일 욕심'은 어떻게 보면 단순히 일에 대한 애정과 열심히 하려는 마음을 넘어, 본인이 할 수 있는 것 이상으로 과도하게 일을 하겠다고 고집을 부리거나 때로는 '선을 넘어서' 다른 사람의 업무 영역까지 침범하는 경우를 말한다.

대부분 회사에는 업무분장이 있고, 업무규정이 있다. 이는 내가 어떤 일을, 어떤 범위까지 해야 하는지를 알려주고 그에 따른 책임 또한 지게 된다. 그러나 '일 욕심'을 부리는 사람은 때로는 다른 사람의 업무분장 범위를 넘어선다. 그 사람이 해도 되지 않는 일인데, 과한 열정에 하겠다고 나선다. 때로는 본인이 직접 할 수는 없으니 담당자에게 감 놔라, 배 놔라 지시를 하는 경우도 있다.

심한 경우는 본인이 하지도 않았으면서, 단순히 그 업무에 대해 관심을 가졌다는 것만으로도 본인이 일을 다 한 것처럼 착각하기도 한다. 그리고 때로는 그 업무 담당자에게 말도 안 되는 의견을 전달하고 그 의견이 맞는다고 우기기도 하고, 사소하고 중요하지 않은 것에 대해 꼬투리를 잡는다. 대부분 A가 좋다고 하는데, 괜히 B가 좋다고 우기면서 나 혼자만 새로운 시각을 가졌고 다른 사람들은 문제의식이 없다며 본인을 추켜세우기도 한다. 이러한 사례들은, 과도한 "일 욕심"에서 비롯되는 경우가 많다.

요즘 일잘러들은 단순한 워커홀릭이 아니다. 오히려 일을 효율적으로 할 줄 아는 사람이다. 내가 못 하는 것, 또는 잘 할 수 없는 것은 다른 잘 하는 사람에게 위임하거나 도움을 청한다. 내 업무 범위를 명확하게 알고, 내가 잘 하는 것에 대해서 다른 팀이 도움을 청할 때는 할 수 있는 범위 내에서 적극 돕는다. 누군가가 도와달라고 했는데 지금 본인의 일이 너무 많거나 내가 잘 모르는 분야일 경우에는 도움을 주는 일정을 미루거나 정중히 거절할 줄도 알아야 한다. 그리고 내가 모르는 분야에 대해 더 잘 알고 싶다는 의지가 있다면, 그 일의 담당자를 만나 조언을 듣거나 때로는 특정 회의에 참관해도 되는지 정중히 요청한다. 그렇게 업무를 다듬어 나가면, 과한 일 욕심이 없어도 다른 사람들은 나를 인정한다. 꼭 필요한 도움을 서로 주고받는 관계가 되면, 일을 해 나가기가 더욱 수월하고 큰 프로젝트도 진행이 가능해진다.

막연히 '일 욕심'을 부리지 말고, 내가 현재 하고 있는 업무의 정의와 책임, 그리고 어떤 부분을 더 보완하고 싶은지 찬찬히 생각해 본다면 내가 가야 할 길이 보인다. '일 욕심쟁이'에서 욕심을 빼고 그냥 '일 쟁이'가 되어보는 것은 어떨까? 이것저것 욕심내지 말고, 내 일에 집중하고 효율적으로 일하는 심플한 '쟁이'가 되는 것이 일을 더 잘 하는 비결일 것이다.

#15. 언제 어디서든, 깨달음

오늘의 삽질이 내일의 발판이 되기를

“

적게 일하고, 많이 버소서

적게 일하고 많이 버는 게 인생의 진리인데 가끔 과도한 업무 요구를 하거나 정당한 권리 행사에 눈치를 주는 일이 있다. 그리고 왜 눈앞에서 일하지 않으면 일을 하지 않았다고 생각할까? 그리고 왜 나만큼 회사와 업무에 대해 헌신하지 않느냐며, 그 생각을 강요하는 사람도 있는데 정말 월급루팡인 사람에게 얘기하는 것 아니고서야 그렇게 할 의무와 책임은 없지 않을까? 주어진 일에 최선을 다했고, 괜찮은 결과를 얻으면 된 것이지 모든 걸 희생해가며 업무에 헌신할 필요는 없다고 생각한다.

“

멀티플레이어가 곧 리더는 아니다.

적재적소에 맞는 사람을 떠올리고, 그 사람을 잘 가용해서, 나에게 없는 역량을 위임하는 게 리더의 역할. 모든 일을 본인이 나서서 다 해결할 수 있다고 생각하는 건 말도 안 되는 일이고, 리더 혼자만 번아웃(burnout)되기 십상이다.

“

삽질에서 얻는 교훈

하루에 삽질을 세 번 했다. 첫 번째 삽질은 굉장히 고심해서 말한 요청이 까였고, 두 번째 삽질은 나와 같은 생각을 가졌을 거라고 생각해서 솔직하게 답변해달라고 물어봤는데 아니었고, 세 번째 삽질은 요청하는 일정에 못 맞추는 이유를 다른 업무 핑계를 대길래 그게 정말 맞는지 물어봤더니 원래부터 안 되는 일이란다. 그래도 말 안 하고 속으로 썩히는 것보단 솔직히 물어봐서 기대치를 조정하고, 내가 몰랐던 추가적인 정보를 얻어서 상대방 상황을 이해하는 것이 낫다. 왜 말하지 않았을까 후회하느니 삽질하더라도 물어보는 게 정신건강에 덜 해롭다.

팀장으로서 산다는 것

아직도 익숙해지려면 멀었다…

팀장이 되니 팀의 업무 정의, 팀의 평판, 팀원들의 역할과 사기에 대해 계속 고민하게 되는데 이게 생각보다 굉장히 신경 쓰이는 부분이다. 어느 한쪽에 신경 쓰다 보면 다른 한쪽이 무너져서 균형을 잡는 데에 많은 시간과, 정신적 에너지가 소모되는 느낌... 그리고 팀원 한 사람이 윗사람에게 찍혔더니 팀 전체의 역량을 의심받는 상황이 생겼는데, 그 팀원을 할 수 있는 데까지 끝까지 끌고 가 보는 것 또한 팀장의 역량이라고 생각한다. 나는 막연히 잘할 수 있을 거라고 생각했는데 아무리 작은 규모의 팀이라도 팀장 역할은 막중하다. 특히, 팀원들의 특성을 잘 파악하고, 업무역량을 키울 수 있는지, 그 업무가 적성에 맞는지, 다른 팀원들과의 조화는 어떤지 지속적으로 살펴야 한다.

사회생활을 오래 했거나 부서장 등의 위치에 있다 보면 당연하다고 생각해서 굳이 설명을 안 하는 일이 있는데 실무자 입장에서는 이해가 안 되거나 받아들이기 어려운 것도 있다. 일의 맥락을 공유해 주고, 당연한 건 없다고 생각하며 일을 해야 한다. 깨어 있는, 열려 있는, 포용력 있는 리더라고(또는 될 수 있을 것이라고) 생각했는데 생각보다 편협하고, 고집스럽고, 권위적인 리더가 되기 쉬운 것 같다. 내 기대치가 너무 높은 것인지, 결과가 아무래도 성에 안 차면 나도 모르게 스트레스 지수가 높아진다. 이럴 때 하고 싶은 말을 항상 미리 연습해 보는데, 생각해 뒀던 것에 반도 못하고 자꾸 망설이다가 그냥 하릴없이 무난하고 평범한 이야기들로만 대화를 마치게 된다. 아직은 미움 사고 싶지 않은 초보 팀장의 비애인가?

또한 직장 생활을 하면서 눈치를 안 볼 수는 없는데, 과도하게 눈치를 본다고 인식하는 순간 왠지 나 자신이 초라해지고 낯선 느낌이 든다. 나다움을 잃어버리는 대가로 무엇을 얻는가? 상사의 신뢰? 주변의 기대? 팀장이 되면서 내가 느끼는 모순은 좀 더 심해졌다. 나다운, 내 스타일대로 팀장 역할을 하고 싶었는데 현재 나의 모습은 애매할 뿐이다. "나 아직 괜찮지 않나?" "나 아직 젊지 않나?" “나 아직은 꼰대 아니잖아?" 이런 생각이 들 때가 가장 경계해야 할 때이다. 나 스스로는 그렇게 생각한다고 해도, 이미 관리자의 길로 들어선 이상 예전에 내가 만들어 뒀다고 생각한 평판은 제로에서부터 시작하는 것이다. 나 또한 때로는 상사에게 잘 보이고 싶고, 때로는 상사에게 짜증이 나듯 팀원들도 마찬가지일 것이다. 누구든 반대의 입장이 있는 법. 상대방의 입장을 헤아리는 것도 팀장의 본분이고, 이 또한 팀장의 가장 큰 고민거리가 아닐까?

팀장이 본인이 실수하거나 잘못한 것에 대해 미안하다고 솔직하게 말하는 것이 나쁜 것일까? 무조건 팀장의 자존심을 앞세우고, 고압적인 분위기로 끌고 가는 것은 좋은 리더십이 아니다. 아바타 같은 부하직원이 무슨 소용이 있을까? 나의 단점을 보완하고, 조직 내에서 서로 다름을 받아들이고 일하는 것이 조직의 발전에 도움이 되는 것 아닐까?

위로 갈수록 내가 앞으로 어떤 길을 갈 수 있을지 대안의 개수가 점점 줄어드는 것 같고, 때로는 이게 정답인지 아닌지 막막해서 우울해진다. 배부른 소리라고 생각할 수는 있지만, 나름의 고충이 있고 그 고충을 하소연할 수 있는 사람조차 주변에 별로 없다는 것이 답답할 노릇. 예전에는 비슷한 고민을 하던 사람들에게 더 이상 같은 내용의 고민을 털어놓을 수 없다는 것이 가장 큰 변화이고, 외로움을 느끼는 순간이다. 그리고 연차가 높아질수록 경쟁하는 카테고리가 달라져서 기존에 비교하던 대상들과 다른 척도로 평가받게 되니 부담 또한 커진다. 나는 팀장이 되면 매우 합리적으로 일할 것이고, 열심히 개선점을 찾고, 권리를 당당히 주장할 줄 알았는데 웬걸, 더 굽실거리는 것 같고 일을 잘 해내고 있는지조차 때로는 모르겠다. 팀장에게도 나침반이 필요하다.

#16. 직장 안에서의 인간관계

상호 존중, 기본만 지킨다면

"

존중받고 싶다면 존중할 것

내가 존중받으려면 남을, 그리고 회사를 존중해야 한다. 가끔 회사와 본인이 동등한 입장이고 심지어 상사와 본인이 동등한 커뮤니케이션이 가능하다고 착각할 때가 있는데 서로를 존중하지 않고 대접받기만을 원한다면 시작점부터가 잘못된 것이다. 존중받고 싶으면 존중해야 하고 내가 도움받길 원하면 나 또한 그들의 성장을 도와야 한다.

"

건설적인 비판의 조건은?

대안 없이 불만만 많은 것은 건설적이지 못하다. 다 아는 것처럼 굴어도 언젠가는 밑바닥을 드러내기 마련이다. 그래서 대안 없는 비판은 경계해야 한다. 비판은 누구나 할 수 있지만 비판을 하려면 그 상황을 바꿀만한 대안, 그게 비록 미숙할지언정 제안할 수 있어야 비판에 신뢰가 생긴다.

“

티 내면 지는 거다.

할 말 다 하는 성격이라고 생각했는데 위로 올라가며 무뎌지는 건지, 착한 사람 콤플렉스인 건지 쌓아두는 버릇이 생겼다. 이렇게 차곡차곡 쌓아가고 있다는 것을 상대방이 알까? 그렇지만 마음속에 화가 많으면 엄한 사람, 엄한 곳에 엉뚱하게 표출되는 것 같다. 프로불편러들은 그 스트레스를 받아 가며 왜 열을 내는 것일까, 가끔은 궁금하다. 싫은 티를 대놓고 내지 않고 요령껏 대하는 것이 인간관계에서 이기는 길이다.

“

시간이 걸려도, 안전하게 가자.

나쁜 인식이 처음부터 박히면 그 인식을 바꾸는 데 너무 힘들고 오래 걸리는데, 더 최악은 그게 안 바뀔 수도 있다는 것이다. 어떤 선택을 내려야 할까? 공포와 두려움으로 따르게 만드는 건 쉽지만 튼튼하지 않은 길을 만드는 것이다. 조금 어렵고 시간이 걸려도 안전하려면, 즉 장기적인 관계가 되려면 존경심으로, 무엇인가 하나쯤은 정말 배울 것이 있는 리더로 인정받아야 한다.

직장에서 내리사랑은 있어도 치사랑은 없다?

팀원들에게 인정받기 어려운 이유

회사 생활을 함에 있어 많은 직장인들이 바라는 것 중 하나는, 물질적인 보상 외에 '인정'이 있다. 인정은 단순히 일을 잘 한다는 말을 듣는 것부터, 공식 석상에서 공개적으로 성과를 치하하는 등 다양한 방식으로 이뤄지는데 이러한 '인정'은 주로 상사의 칭찬이나 동료의 신뢰감 표현으로 얻게 되는 것 같다. 맡겨진 일을 잘 완수했을 때, 상사로부터 "잘 했다." 내지는 동료로부터 '믿고 맡길 수 있는 사람'으로 포지셔닝 되면 뿌듯해진다.

그러나 생각해 보면 밑으로부터 듣는 칭찬이나 인정은 상대적으로 적고, 또 박하다. 오히려 험담이나 안 들으면 다행이고... 직장인들이 삼삼오오 모이면 내 상사는 왜 그럴까, 하며 푸념하거나 고민 상담을 하는 경우도 꽤 있는 것 같다. 왜 그런 것일까?

우리는 주로 업무를 할 때, 상사의 지시에 대해 열심히 분석해서 상사의 의중을 파악하려 애쓴다. 상사와 어느 정도 합을 맞추면, 이제는 동료로 시선을 돌린다. 내 업무와 동료 팀의 업무의 범위와 고려할 사항들을 잘 파악하고 동료의 신뢰를 얻기 위해 노력한다. 그러나 나보다 직급이 낮거나 후배 직원들의 의중을 파악하려 노력하는 경우는 드물다.

관계에 기대하는 것이 없거나 적을수록 관계를 유지하기 위한 노력이 적어지는데, 어쩌면 우리는 후배, 부하 직원이 나에게 해줄 수 있는 것이 적다고 생각해서 그들과의 관계에는 상대적으로 소홀하게 대하고 있을지도 모른다. 명령하고 지시하는 것에만 익숙하고, 그들과 같은 시각에서 바라보고 의견을 존중하려는 것에는 소극적일 수도 있다.

인간관계에 있어 '주는 만큼 받아야 된다'라고 생각하는 사람들이 많다. 그러나 때로는 그런 계산을 따지기보다는 관계를 맺는 과정에서 배우는 것들에 집중해 보는 것은 어떨까? 후배나 부하 직원과의 관계에서도 그들의 의견에 귀 기울이고, 한 명의 동료로서 인정하려는 마음가짐을 가진다면 자연스럽게 존중하는 태도가 드러날 것이고 이는 좋은 선후배 관계로도 이어질 수 있을 것이다.

때론 나의 호의가 100% 돌아오지는 못하더라도, 그렇게 관계를 만들어가는 과정에서 다양한 의견을 포용하는 경험을 통해 더욱 폭넓게 상황을 이해할 수 있는 능력이 향상되는 것만으로도 충분히 해볼 가치가 있다고 생각한다.

#17. 내 맘대로 생각하지 말아요

자동화된 사고, 인간관계에는 치명적

“

편견의 무서움

편견이라는 게 참 무섭다. 나도 모르게 색안경을 끼고 보게 되는데, 그걸 깨닫지 못하고 자꾸 나쁜 쪽으로만 생각하다 보니 상대방은 상당히 억울할 듯. 물론, 인간관계에서 잘 맞는 성향과 그렇지 못한 성향이 있는 것이지만 편견이 때로는 잘못된 판단을 하게 만들기 때문에 항상 중간에 멈춰 서서 스스로를 돌아볼 필요가 있다. 특정 사람에 대해 내가 평가하는 것과 남이 평가하는 것이 다를 때, 무조건 내가 맞겠지, 하며 넘어가는 것보다 '왜 저 사람은 저렇게 평가했을까?' 궁금해하며 솔직하게 물어보는 것이 좋은 것 같다. 편견은 무서운 것이고, 남이 깨줄 수 있다면 고마워해야 한다.

“

평가는 되도록이면 나 자신이 한다.

편견 없이 사람을 평가하는 것은 굉장히 어려운 일이다. 나와 매우 친한 사람 A가 나와 업무상 관계를 맺고 있는 B에 대해 부정적인 의견을 전달할 경우, 나도 모르게 A의 의견에 귀를 기울이게 될 것이다. 그러나 A랑 정말 친할수록 B의 이야기도 들어봐야 한다. 누군가 단지 남의 의견을 듣고 나를 평가한다는 소문을 듣는다면 얼마나 기분이 나쁠까? 남의 의견을 참고하되, 평가는 되도록이면 나 자신이 객관적으로 행해야 한다.

"

당연한 건 없다, 그 사람은 궁예가 아니다.

'당연히 이렇게 하겠지?' 생각해서, 말도 안 하고 그 사람이 알아서 하길 기다릴 때가 있다. 그리고 생각한 대로 행동하지 않으면 괜스레 그 사람에게 화가 나서 스스로 상처 입게 된다. 상대방이 내가 생각하는 대로 행동하길 원한다면, 그냥 솔직히 얘기하고 털어버리는 게 괜한 마음고생을 줄이는 길이다.

시간 강박, 또는 계획 강박

효율을 추구하는 일이 때로는 비효율을 초래할 수도

'00시 00분부터 XXX 업무, OO 시 OO 분부터는 OOO 업무...'

아침, 출근하자마자 엑셀을 켜고 하루 계획표를 적는다. 때로는 필(feel)받으면 이번 주, 다음 주, 한두 달 뒤 일정까지 생각나는 건 일단 채워 넣는다. 사실 출근하기 전부터 이미 지하철에서 휴대폰의 스케줄러 앱을 켜고 오늘의 할 일 목록을 한번 훑어보고 온 길이다.

쉬는 날도 예외는 없다. 연차라도 하루 생기면, 그날 해야 할 일을 최소 30분 단위로 쪼개어 스케줄러에 기록한다. 회사를 다니고, 아직 학교에 다니기 전인 아이를 키우고 있기에 쉬는 날 하루하루가 소중하고, 스케줄을 짜기 전 최적의 이동경로와 소요시간을 파악해서 반영하는 것이 습관화되었다. 때로는 우선 효율적인 스케줄을 정리해 두고, 역으로 이 스케줄 안으로 일정들을 끼워 넣을 수 있는지 확인하는 경우도 많다.

친한 친구와 서로의 성격, 일하는 방식, 평소 생활습관에 대해 자유롭고 가감 없이 이야기를 해 본 적이 있다. 친구도 나름 계획적인 타입이었는데, 내가 평소에 스케줄을 관리하는 이야기를 듣더니 깜짝 놀라면서 이렇게까지 하는 사람은 처음 봤다고 했다. 나의 경우, 계획이 틀어지는 것을 굉장히 괴로워하는데 틀어질 때마다 머릿속에서 스케줄들을 다시 곱씹으며 마치 블록을 끼워 맞추듯이 다시 시간을 정렬하곤 한다. 이러한 시간 강박, 또는 계획 강박은 어떨 때는 업무를 효율적으로 마치고 일정 안에 끝내게 할 수 있는 원동력이 되지만 어떨 때는 계획을 수립하는 것 자체에 너무 몰두하여 계획을 세우는 데에 너무 많은 시간을 허비할 때도 많다. 그리고 계획된 시간 내에 일을 못 마칠 경우 스케줄을 다시 정비하면서 굉장한 스트레스를 받곤 한다. 당장 오늘뿐만이 아니라 때로는 여러 일정을 한꺼번에 다시 조정해야 하고 가끔 급하게 처리할 일들이 껴들어올 경우 뒤에 있는 계획들이 다 미뤄지기 때문이다.

사실 학창 시절부터 나의 시간 강박, 계획 강박이 시작되었던 것 같다. 비교적 규칙적인 중, 고등학교 시절에는 계획을 짤 일이 많지도 않았고 그 폭도 굉장히 좁았었는데 대학교를 다니면서 스스로 시간표를 짜고 남은 시간들을 활용하기 시작하며 어떻게 하면 시간을 더 효율적으로 사용할지를 매번 고민하고 걱정하게 되었다. 그리고 점점 더 삶의 반경이 넓어지며 직장 생활, 결혼, 아이 양육 등으로 내가 자율적으로 활용할 수 있는 시간은 점차 줄어드는데 이 줄어드는 시간 안에서 최대한 효율을 뽑아내기 위해 스케줄을 더욱 철저하게 관리해 온 것 같다.

그러나 최근에는 기껏 짠 스케줄이 자꾸 틀어지고, 그로 인해 스트레스받는 일이 많아지면서 오늘, 내일, 일주일 뒤, 한 달 뒤를 계획하는 것도 좋지만 내가 짠 효율적인 스케줄 안에는 '여유'라는 것이 전혀 없기에 초조함과 불안이 늘어나는 것 같다는 생각이 들었다. 계획을 짰는데 예상치 못한 일이 벌어지면 다시 그 계획을 수정하느라 시간이 걸리고, 그리고 그렇게 고친 계획이 또 틀어지면 다시 바꾸는 일이 반복되면서 효율적으로 일하려고 짠 계획이 오히려 비효율을 초래하고 있다는 사실을 깨달았다.

이렇게 말하는 지금도, 스케줄러를 체크하며 초조해하고 있다. 습관이라는 건 하루아침에 바뀌는 것이 아니기 때문이다. 그러나 지나친 시간 강박, 계획 강박이 나에게 효율을 주기보다는 스트레스와 비효율을 준다는 것을 깨닫는 것 자체가 이 문제를 개선하기 위한 첫걸음인 것 같다.

내일 계획은 오늘보다 현실적으로, 오늘보다 조금 더 여유를 두어 짜리라 다짐해 본다.

손재주가 제일 부러워

소소한 취미, 삶이 더 풍요로워지는 방법

어릴 때부터, 공부는 잘했다. 사실 어린 시절 교육이란, 자고로 시험을 봐서 높은 점수가 나오면 교육이 잘 됐다고 평가하는 것 아니겠는가? 주로 학교에서 배우는 과목들은 필기와 실기를 합쳐 점수를 매기곤 했는데, 주요 과목은 필기 비중이 높은 반면 실기 비중이 낮고 예체능 과목은 그 반대였다. 나의 경우, 주요 과목은 필기, 실기 다 고르게 높은 편이었는데 예체능 과목만큼은 아니었다. 필기는 거진 100점이었으나 실기점수는 영 꽝이었다.

나는 몸으로 하는 대부분의 활동들을 잘하지 못하는 편이다. 체육은 타고나는 체력과 유연성이 중요한데 나의 경우는 둘 다 해당되지 않았고, 100미터 달리기에 21초 기록이 나오거나(너무 기록이 나빠서 아직도 기억 중이다…) 뜀틀을 하면 앞으로 날아가는 등(이건 너무 창피해서 아직도 기억 중이다…) 실기점수는 거의 최저를 밑돌았다. 음악의 경우도 피아노를 배워본 적이 없거니와 악기를 다루는 섬세한 조절능력이 별로 없었던 듯, 단소나 리코더같이 쉬운 악기 정도만 그럭저럭 다룰 수 있어서 흥미를 갖지 못했다.

그러나 이는 학창 시절에는 크게 문제가 되지 않았다. 왜냐면, 학교에서는 시험 성적만 높으면 됐지 예체능 과목을 잘 못하는 것을 지적하지 않았기 때문이다. 그런 재주 있는 친구들은 가끔 수업 시간에 두각을 나타내서 칭찬받거나 하면, 다른 친구들이 부러워하는 정도였던 것 같다.

그러나 철이 들고, 점점 나이를 먹어가면서 느끼는 것은, 공부를 잘하는 것은 극단적으로 말하면 아무 소용이 없고 오히려 다른 재능이나 재주가 있는 사람들이 더욱 풍요로운 삶을 살고 있다는 생각이 든다. 물론 남의 떡이 더 커 보인다는 말이 있는 것처럼, 내가 갖지 못한 능력에 대해 부러워하는 것일 수도 있지만 요새 들어 특히 '손재주'를 갖고 있는 사람들이 자신의 재능을 살려 다양한 일과 취미를 할 수 있는 시대로 바뀌었다는 생각이 든다.

집 근처에 맛있는 케이크 가게가 있다. 그 케이크 가게는 좋은 재료를 아낌없이 쓰고, 케이크 모양도 예쁘고, 맛도 좋다. 처음에는 케이크 한 조각 가격이 생각보다 비싸서 사 먹을 때 후들후들했지만, 먹어보니 왜 이 값을 받는지 알 것 같다는 생각이 들었다. 맛이 너무 좋아서, 부모님 생일 때 일부러 홀케이크를 특별 주문했고 먹어본 사람들이 다들 맛있어하는 걸 보며 기분이 좋았다.

그 가게는 특정 과일이 맛있어지는 계절이 오면 그 과일에 대한 설명, 그리고 그 과일과 어울리는 재료와 케이크에 대한 묘사를 인스타그램

게시물로 올리는데 그 게시물을 보고만 있어도 케이크를 당장 사 먹고 싶어진다. 그분은 맛있고 예쁜 케이크를 만들 수 있는 손재주가 있으니 자기가 제일 잘할 수 있고, 좋아하는 일을 하고 있다는 생각이 들었다.

손재주가 뛰어난 친구가 있다. 그 친구는 손으로 하는 대부분의 활동들을 잘하는 편이다. 내가 아는 것만 해도 홈베이킹, 커피, 꽃꽂이 등에 일가견이 있고 손으로 하는 것이라면 처음 배우는 것도 제법 잘한다. 손재주가 없는, 소위 말하는 곰손인 나로서는 굉장히 부러운 재주다. 그 친구는 커피 쪽에서 일하는데 그 회사에서 개최하는 큰 이벤트나 페스티벌에서 커피 만드는 법, 드립 커피 내리는 법 등에 대해 1일 클래스 강사로 나간다고 한다. 아는 사람이랑 페스티벌에 같이 참석해서 친구가 일하는 모습을 지켜봤는데, 같이 간 사람도 저 사람 굉장히 잘 가르친다며 칭찬을 아끼지 않았다. 잘하는 일과 좋아하는 일을 일치시킨 그 친구가 부러웠다.

그 친구와 함께 서로를 더 잘 알아갈 수 있는 클래스를 들으러 간 적이 있다. 클래스에서는 서로의 장/단점도 객관적으로 분석해서 얘기해 주고, 마지막에는 서로에게 해 주고 싶은 말이 있는지를 물어보는데 그 친구가 나에게 좀 더 다양한 취미생활에 도전해 봤으면 좋겠다며, 같이 하자고 권유해도 내가 손재주가 없다고 손사래 치는데 '잘하는 것'에 의미를 두기보다는 '일단 해 보는 것'에 의미를 두었으면 좋겠다는 말을 해줬다. 그 얘기를 듣고 놀랍기도 했고, 고맙기도 했다. 사실, 나 스스로 손재주가 없다고 생각하니 그러한 활동을 권유받아도 잘할 자신이 없어서 미리 포기하거나 완벽하게 해 내지 못하니 그 자체에 스트레스를 받았던 것 같다. 그러나 친구의 말처럼, 그걸 얼마나 잘하느냐보다 재미있게 하는 것 자체에 의미를 둔다면 못할 게 뭐가 있겠냐는, 묘한 자신감이 들었다.

아직도 손으로 뭔가를 만든다고 생각하면 걱정부터 앞서고, 때로는 재료가 아깝다는 생각도 들 만큼 결과가 엉망이긴 하다. 그러나 정성을 담아 나 스스로 뭔가를 만들고, 그 과정 자체의 재미를 즐긴다면 손재주가 없어도 좀 더 풍요로운 취미생활을 즐길 수 있지 않을까 싶다.

성공의 필요충분조건

알고 보면 '꾸준함'이 제일 어렵다.

‘1만 시간의 법칙’이라는 이론이 한창 사람들 입에 오르내린 적이 있다. 어떤 분야의 전문가가 되려면 최소한 1만 시간 정도의 훈련이 필요하다는 법칙인데 1993년 미국 심리학자 앤더스 에릭슨이라는 사람이 처음으로 사용한 개념이라고 한다. 하지만 정작 그 사람이 쓴 책보다는 말콤 글래드웰의 〈아웃라이어〉라는 책이 크게 히트를 치면서 더욱 널리 알려진 개념이다.

말콤 글래드웰은 탁월함을 보이는 사람들이 타고난 재능과 더불어 그 재능을 갈고닦는 연습의 시간이 필요하다는 논리를 펼쳤는데, 즉 모든 재능 있는 사람이 다 성공하는 것은 아니고 그중 성공하는 사람은 재능과 노력을 겸비한 사람이라는 것이다. 특히 예술가들에 대해서는 재능이 노력을 압도한다고 생각하기 쉬운데, 잘 알려진 몇몇 작가들과 예술가들의 사례를 보면 그들 또한 꾸준한 노력이 뒷받침되었다는 사실을 알 수 있다.

우리나라에서도 인기가 많은 작가 '무라카미 하루키'는 에세이를 통해 그의 생활이 잘 알려져 있는데, 평소에 항상 비슷한 옷차림, 비슷한 식사를 선호하며 매일 꾸준히 시간을 정해 놓고 원고를 작성한다고 한다. 어떤 소설을 써야 할지, 어떤 캐릭터를 만들어낼지는 순간적인 직관에 의존한다고 하더라도 그 직관을 작품으로 옮길 때는 엄청난 집중과 시간 투자를 한다는 것이다. 또 다른 작가, 다작의 왕 '스티븐 킹'도

저서 〈유혹하는 글쓰기〉에서 항상 일정한 시간에 글을 꾸준히 쓰는 습관에 대해 기술한 바 있다. 비록 소설 콘셉트 자체는 번뜩이는 영감에 의해 포착된다고 하지만 그 글을 완성시키는 데에는 왕도가 없이, 꾸준히 쓰는 것이 비결이라고 밝히고 있다. 그리고 소설가는 아니지만 구로사와 아키라 감독은 저서 〈자서전 비슷한 것〉에서 영화 시나리오를 완성할 때, 일정 기간 동안 료칸에서 매일 비슷한 시간에 시나리오를 쓴다고 했는데 료칸에서 글을 쓰는 것은 아마도 식사를 제공하고 잠자리를 살펴 주기 때문에 집중해서 글만 쓰기에 최적이기 때문일 것이다.

앞서 언급한 예술가들 외에도, 소위 말하는 성공한 사람, 훌륭한 업적을 남긴 사람들을 보면 남들보다 똑똑하다거나 특별한 재능이 있다거나 하기보다는 '꾸준함' 자체가 성공의 키가 되는 것 같다. 누구나 '꾸준한 노력'이 가능할 것이라고 쉽게 생각하지만, 알고 보면 '꾸준함'만큼 어려운 것도 없다. 다이어트는 왜 매번 실패할까? 성적은 왜 금방 오르지 않을까? 영어는 왜 늘지 않을까? 일상의 사소한 문제조차 '꾸준함'을 요구한다. 시간을 정하든, 목표를 정하든 일정한 기간 동안 매일 꾸준히 하는 것이 알고 보면 제일 어렵다. 그렇기에 어떤 일을 이루겠다고 목표를 정한 다음, 일정 기간 동안 열심히 했는데 그 성과가 당장 보이지 않을 경우에는 내가 지금 하고 있는 것이 맞는지 의심이 들게 마련이다.

하지만 이러한 위기를 한두 차례 넘겨보고, 어느 순간 내가 걸어온 길을 뒤돌아 보면 내가 이만큼 했구나, 하는 순간이 분명히 온다. 꾸준함도 습관이라고 한다. 물론 시간은 한정적이고 내가 지금 맞는 방향으로 가고 있는지 두려울 때가 많지만, 한 번 마음먹은 것에 대해 꾸준히, 지속적으로 해 보는 습관을 길러보는 것이 중요하다. 그러한 습관은 비록 내가 그 목표에서 성공하지 못했다고 하더라도 다른 목표를 세우고 다시 추진하려 할 때, 조금 더 마음을 편안히 먹고 인내할 수 있게 하는 지름길이 되어줄 것이다.

해 보기도 전에 못 한다는 생각

스스로 한계점을 그으며 살아온 것은 아닐까?

그동안 나름 평탄한 삶을 살았다. 때맞춰 졸업하고, 때맞춰 취업을 했으며, 때맞춰 결혼하고 늦지 않게 아이도 가졌다. 명절 잔소리 대상자에 내가 해당된 적은 없었다. 일반적인 삶의 기준에 맞춰서 볼 때, 나는 어긋나지 않고 그때 해야 할 과제들을 잘 처리한 사람이었다. 사실 남의 눈을 엄청 의식해서라기보다는, 그러한 구설수에 오르는 것 자체가 오히려 귀찮기도 했고 그 시기에 그저 해야 될 일을 했구나, 싶은 심정이었다. 그렇기에 졸업할 때도, 직장을 선택할 때도, 결혼할 때도, 아이를 낳을 때도 최적의 타이밍을 생각했던 것 같다.

그리고 남들이 어떻게 평가할지는 모르겠지만, 해당 시기의 과업들에 대해서는 나름 최선을 다했던 것 같다. 딴짓 안 하고, 성실하게, 주어진 일을 열심히 하면 언젠가는 다들 알아줄 것이고 자연적으로 보상을 받을 거라고 생각했다. 그러나 어느 순간, 멈춰 서서 지금까지의 삶을 돌이켜 보니 크게 길을 벗어나지 않은 대신 일상의 재미와 즐거움을 충분히 느끼며 살아오지 못한 것 같다는 생각이 들었다.

지금까지는 '안정'을 기준으로 선택해왔기에 삶에 큰 변화가 없었고 조금의 일탈도 허용하지 않았다. 그리고 '나'를 적극적으로 알리는 일에도 그다지 관심을 갖지 않았기에 뭔가 새로운 일에 도전해 보라는 제안을 받아도 '내가 과연 할 수 있을까?' 내지는 '내가 이렇게 다른 일을 해도 되는 것일까?'라고 지레 걱정하며 시작조차 안 한 적이 많았다.

그래서 글을 쓰기 시작했다. 물론, 어떤 글을 써야 할지에 대해 처음부터 고민이 많았고 시작 자체도 순탄치 않았다. '내 글이 다른 사람들에게 과연 의미 있게 읽힐까?'에 대한 두려움도 컸고, 기교 있게 또 매끄럽게 쓴 글들을 보며 나의 글은 그렇지 못함에 부끄럽기도 했다. 하지만 그동안 내가 살아온 삶에 대해 한번 써 보자, 그리고 '내가 다른 사람보다 먼저 접근할 수 있는 주제들에 대해 써 보자.'라고 조금 가볍게 마음을 먹으니 한결 부담이 덜 해지는 것 같았다. 그리고 최근에 그동안 재미있게 읽어온 잡지에도 시험 삼아 기고를 해 보았는데, 글이 선정되었다는 연락을 받고 매우 기뻤다. 많은 기고글들로 이루어진 잡지의 한구석에 자리 잡는 정도였지만, 그래도 나의 글이 실린다는 것 자체에서 소소한 성취감과 기쁨을 느낀 것이다.

이러한 일을 계기로 그동안 많은 기회들에 대해 내가 얼마나 도전했는지를 따져보니 거의 없다시피 했고, 그동안 어떤 새로운 일을 시작 전부터 '이건 안 될 거야' 그리고 '안 되면 굉장히 창피할 거야'라고 생각하며 스스로 한계점을 그었다는 점을 드디어 인정하기 시작했다.

도전은 도전 자체로 아름다울 수 있다. 안 되었다고 해서 그 사실이 부끄럽거나 의기소침해할 필요가 없는 것이다. 그리고 만약 잘 안된다면, 그것 또한 뭐 어떤가? 다음에 또 하면 되는 것이다. 이제는 스스로의 한계점을 긋지 않고, 이 일이 아니라면 다른 일을 또 해보면 된다는, 용기 있는 마음을 갖기로 했다. 해보지 않고서는 결과는 영원히 모르는 일이기 때문이다.